フェイクニュース時代を生き抜く

データ・リテラシー

マーティン・ファクラー

光文社新書

目次

第2章　フェイクニュースに操られる世界

第3章　中国が仕掛ける情報戦

取材・構成／荒井香織

序章　「データ・リテラシー」の時代

情報に流されないための新スキル

私たちは今、「第４次産業革命」(Industry 4.0) の始まりを目撃している。

18世紀終わり、蒸気機関の発明によって工場の機械化と人・モノ・カネのダイナミックな移動が可能になった (第１次産業革命)。重化学工業を中心とする第２次産業革命を経た20世紀初頭には、電気機関の発明によって大量生産・大量消費社会が到来する。

１９７０年代初頭になると、マイクロ・エレクトロニクス（微細技術を用いた電子工学）とＩＴ（情報技術）の進展によって、製造業の自動化が急速に進んだ（第３次産業革命）。20世紀終わりに生じたＩＴ革命は、生産技術をさらに高次の段階へ移行させる。インターネットとパソコン、スマートフォンを通じて、世界中の人・モノ・サービス・カネが結びつくＩｏＴ（Internet of Things＝あらゆるモノがインターネットによってつながる社会）が実現したのだ。ロボットとＡＩ（人工知能）が駆動する現在の第４次産業革命において、最も重要なものは何か。データだ。

しかし私たちは、データが日常生活をいかに変えうるか、その本当の可能性について理解していない。

地球上で暮らす80億もの人々は、日々膨大なデータを生み出す。そのデータは政府と企業によって追跡・分析され、ビッグデータとして集積する。

政府はビッグデータを使い、自分たちに有利なアジェンダ（政策課題）を設定したい。そのアジェンダに対して社会的合意を獲得し、支持率を高めたい。政党は、選挙に勝つためにビッグデータを活用して対策を打ち、世論を形成する。

ビッグデータは、新商品やサービスを売りたい企業にとっても役立つ道具だ。しかし、悪用も多い。英語圏で「トロール」(troll) と呼ばれる荒らし屋やネット右翼は、ツイッターやフェイスブックなどのＳＮＳ (social networking service) で、意図的にフェイクニュースを流して世論を攪乱《かくらん》する。

人間やＡＩがデータを使って私たちを誘導し、騙す能力は、これからますます高くなる。昔は写真を捏造《ねつぞう》するのが困難だったから、写っているものはすべて「これは真実だ」と信じられた。逆に、写真になっていないものは噂や風聞の可能性があると考えられた。

今は素人には見分けがつかない精度で、写真や動画はいくらでも捏造できてしまう。本物の情報なのか、あるいはフェイクニュースなのか、普通の人にはとうてい見分けられないディープ・フェイク (deep fake) が、これからどんどん作られていくだろう。

本物そっくりの虚偽や権力者による扇動が溢れる情報の洪水の中、私たちは正しい判断を下すために、いかにして真実を見極めればいいのか? そのために必要となるのが、「データ・リテラシー」だ。

従来、「メディア・リテラシー」の重要性が主張されてきた。これは、テレビや新聞、ラジオといったマスメディアが発信する情報を正しく読み取る能力を指す。しかし、ＳＮＳが発達した今、人々は情報の受け手であると同時に作り手でもある。日常生活において、情報源としてのいわゆるオールド・メディアの役割は低下し、ツイッターやフェイスブック、インスタグラム、ＬＩＮＥなどのＳＮＳやネットメディアの〝データ〟が席巻《せっけん》している。

このデジタル時代を生きる私たちはネット上の情報がどのようにして生まれ、広がっているのかについて意識的にならなければならない。グーグルやＬＩＮＥに操られるのではなく、私たちが自ら人生の主導権を握り、身を守るための方策を学ばなければならない。そのための新しいスキルを「データ・リテラシー」と呼びたい。データ分析のニュアンスを感じられるかもしれないが、分析にとどまらずデータを解釈し行動につなげる能力を指す新しい言葉としてアメリカでは用いられることがある。本書では、スマートフォン等を通じた一般的なネット利用者に必要な基礎知識という広い意味で積極的に用いる。

本書のねらい

本書は、データ・リテラシーの身につけ方を示すとともに、読者の皆さんに情報の「積極的な利用者」になることを提唱する。読んだり見たりしたことをそのまま受け入れる姿勢は危険だ。情報の本当の価値を理解し、真実とフェイクニュースを選別し、悪意のあるＳＮＳアカウントを見極められるようになってほしい。この混とんとした情報の海を賢く渡っていく術《すべ》を、今から学んでもらいたい。

そして、２０２０年冬に感染が拡大している新型コロナウイルス問題は、まさにデータ・リテラシーの重要性を示している。フェイクニュースが蔓延《まんえん》する時代で最初に起こったウイルス・エピデミック（epidemic：伝染病）である。

エピデミックは常にフェイクニュースとともに流行する。中世ヨーロッパで数百万人の命を奪ったペスト禍では、恐怖におびえる人々は黒猫と魔女、そしてユダヤ人が病の原因だと考え迫害した。しかし真犯人はネズミだった（もっと正確にいえば、ネズミに寄生したノミだった）。

そして技術が発展を遂げた現代、情報は指数関数的なスピードで莫大な数の人々に広がるようになった。すなわちこれは、ミスインフォメーション（misinformation：偽情報）がかつてないほどの規模で広がる危険性があるということだ。

日本はじめ世界では、パニックに陥った人々がマスクやハンドソープ、そしてトイレットペーパーまで買い占めている。しかし、なぜトイレットペーパーなのか？　コロナウイルスの主な症状は下痢だとでも聞いたのだろうか？　そんな馬鹿な話はない。

アメリカでも、フェイクニュースと陰謀論の〝エピデミック〟がソーシャル・メディアからホワイトハウスまで蔓延している。

コロナウイルスにまつわる陰謀論は、ソーシャル・メディアで何百万回も発言されている。アメリカ国防総省が中国を攻撃するためにウイルスを作ったとか、ビル＆メリンダ・ゲイツ財団が作ったなどとでっち上げられている（後者は明らかに巨大ＩＴ企業への不信を反映している）。さらには、株式市場を混乱させるためにウイルスが作られたというストーリーまで見られる。

コロナウイルスは普通の風邪と同じでまったく危険ではないと発言するユーチューバーたちもいる。アメリカの10代の若者に人気のソーシャル・メディアReddit（レディット）[*1]では、政権転覆を謀《はか》る「ディープ・ステート」（deep state：国家内の闇の政府）がコロナウイルスを作ったという陰謀論が存在する。また、ウイルスは「コウモリのスープ」を食べる中国の人々によってもたらされたというデマも流れている（２００３年に流行したＳＡＲＳウイルスは、ハクビシンを食べる中国の人々から発見された。しかし実際の発生源はコウモリだと考えられている）。

＊1　https://www.reddit.com/

ワシントン・ポストは、ツイッターやフェイスブック、インスタグラム等のソーシャル・メディアが、社会を混乱やカオスに陥れることが目的のストーリーを拡散していると報じた。[*2]多くの人々は、ロシア政府やハッカーグループなどが、恐怖をもたらすためにフェイクニュースを流しているのではないかと不安を抱いている。

情報捏造が行なわれるのはソーシャル・メディア上だけではない。タブロイド紙であるＮＹポストは、コロナウイルスが中国の生物研究所から流出したとでっち上げている。[*3]

もっとも注目すべきはトランプの行動だ。彼は、デマを阻止して国民を安心させるのではなく自らフェイクニュースを作り、積極的に広めようとしている。３月初めにＦＯＸテレビで彼が発言した内容はデマの典型で、皮肉にもコロナウイルスのように急速に拡散した。

「民主党議員たちは、ウイルスがアメリカに来て数百万の国民の命を奪うことを願っている。そうなれば私を批判できるからだ」

トランプは支持者たちの集会でお決まりのように、「コロナウイルスは民主党員たちが次の選挙で私を敗北させるためのでっち上げだ」と発言する。

こうした状況で必要なのは、アメリカ大統領のウソも含むフェイクニュースの検証、つまりファクト・チェックであり、自分でできるようになるのが一番だ。そのための基礎的技能

(basic skills) を提供するのが、この本の第一の目的だ。

しかし、誰だって自分ですべてのニュースを検証する時間はないだろう。だから、この時代にこそ、ファクト・チェックや情報のゲートキーパー（門番）の役割を果たすプロのジャーナリストが不可欠だと考える。

したがって、これまで以上に今、真のジャーナリズムが求められているということも本書では訴えたい。フェイクニュースを見破り、政治家やビジネスリーダーがＳＮＳで私たちに直接訴えかける〝ファクト（事実）〟と〝ストーリー〟を検証してくれる取材者の存在が欠かせないのだ。私はジャーナリストを、「権力の番犬」「ファクトチェッカー」「ゲートキーパー」の３つの役割を担う者として定義する。

ＳＮＳが繁栄を誇る現代、私たちは溢れんばかりの情報をもっている。しかし、私たちがもっていないのは「信頼」だ。ジャーナリストは、信頼できる情報を見極める手助けをしてくれる存在となる。

＊2　https://www.washingtonpost.com/technology/2020/02/29/twitter-coronavirus-misinformation-state-department/

＊3　https://nypost.com/2020/02/22/dont-buy-chinas-story-the-coronavirus-may-have-leaked-from-a-lab/

とはいえ、ジャーナリスト自身も「信頼問題」に直面している。失った読者の支持をいかに取り戻すのかが、ジャーナリズムにとっての緊急課題だ。そのために今、この３つの役割という原点に立ち返る必要があると私は考える。

２日で「５兆バイトの１００万倍」ものデータが生成

Dell EMC（Dell Technologiesの子会社）というアメリカの大手ＩＴ企業によると、２０２０年に地球上で暮らすすべての人類は、一人ひとりが１秒間につき平均１・７メガバイトのデータを発信している。ものすごい量だ。

グーグルのＣＥＯ（最高経営責任者）を務めたエリック・シュミット（Eric Schmidt）は、「現在を生きる人類はたった２日間で、人類の文明が始まってから２００３年までに生み出された総量と同じだけの情報を生み出している」と指摘した（２０１０年）。たった２日間で５エクサバイト（exabyte）ものデータが、新たに生まれているというのだ。「エクサ」とは10の18乗、つまり１兆バイトの１００万倍にのぼる。気が遠くなるような数値だ。

今日、自分がどんな１日を過ごしてきたか振り返ってみよう。読者の皆さんも、今日１日だけでツイッターやフェイスブック、インスタグラムやＬＩＮＥに一度はアクセスしたと思う。ＳＮＳ上で誰かがアップロードした写真やミニ動画を見たり、スマートフォンを使って誰かにメッセージや写真を送ったりしたはずだ。

誰から命令されたわけでもないのに、誰もが自発的に日々たくさんのデータを発信し、受信している。これが現代社会の特徴だ。エリック・シュミットは「これから大きな変化が起こるにもかかわらず、誰も準備ができていない」と指摘する。

10年の段階で、５エクサバイトものデータがたった２日間で流通していた。それから10年後の20年になれば、さらに膨大なデータが世界中で飛び交っていることは言うまでもない。ネットメディアやＳＮＳで、いったいどれほどすさまじい量のデータが流れているのか。具体的に紹介しよう。

毎分45万６０００のツイート

17年、アメリカにあるDomoというソフトウェアの会社が興味深いリポートを発表した[*4]（"Data Never Sleeps 5.0"）。

＊4　https://www.domo.com/learn/data-never-sleeps-5

このリポートによると、15～17年に世界中で出回ったデータは、それまで人類が生み出してきたデータの実に9倍にのぼる。世界では毎日２・５クィンティリオン（quintillion）バイトものデータが作られている。１００万（million）、10億（billion）、１兆（trillion）、１０００兆（quadrillion）、１００京《けい》（quintillion）という数字のケタを見ると、２・５クィンティリオンバイトがいかにとんでもない大きさか理解できる。

しかも人類がデータを作るペースは、ＩｏＴによってさらに加速しているというのだ。Domo のリポートでは、図のような数字が報告されている。これらは１日とか１時間ではなく、１分ごとに生み出されているものだ。

ネットでモノから人までつながり始めた

ＩｏＴの時代には、コンピュータやスマートフォン、スマート家電などの電子機器がモノと人とデータをつなぐ。２００６年の段階で、ＩｏＴによってネット上で連結したデバイスは20億機だった。20年には、ネットでつながるデバイスの数は２０００億機に増える。たった14年で１００倍の増加だ。

ＩｏＴが広がれば、家（スマートハウス）も車（スマートカー）も家電もデータで紐《ひも》づけ

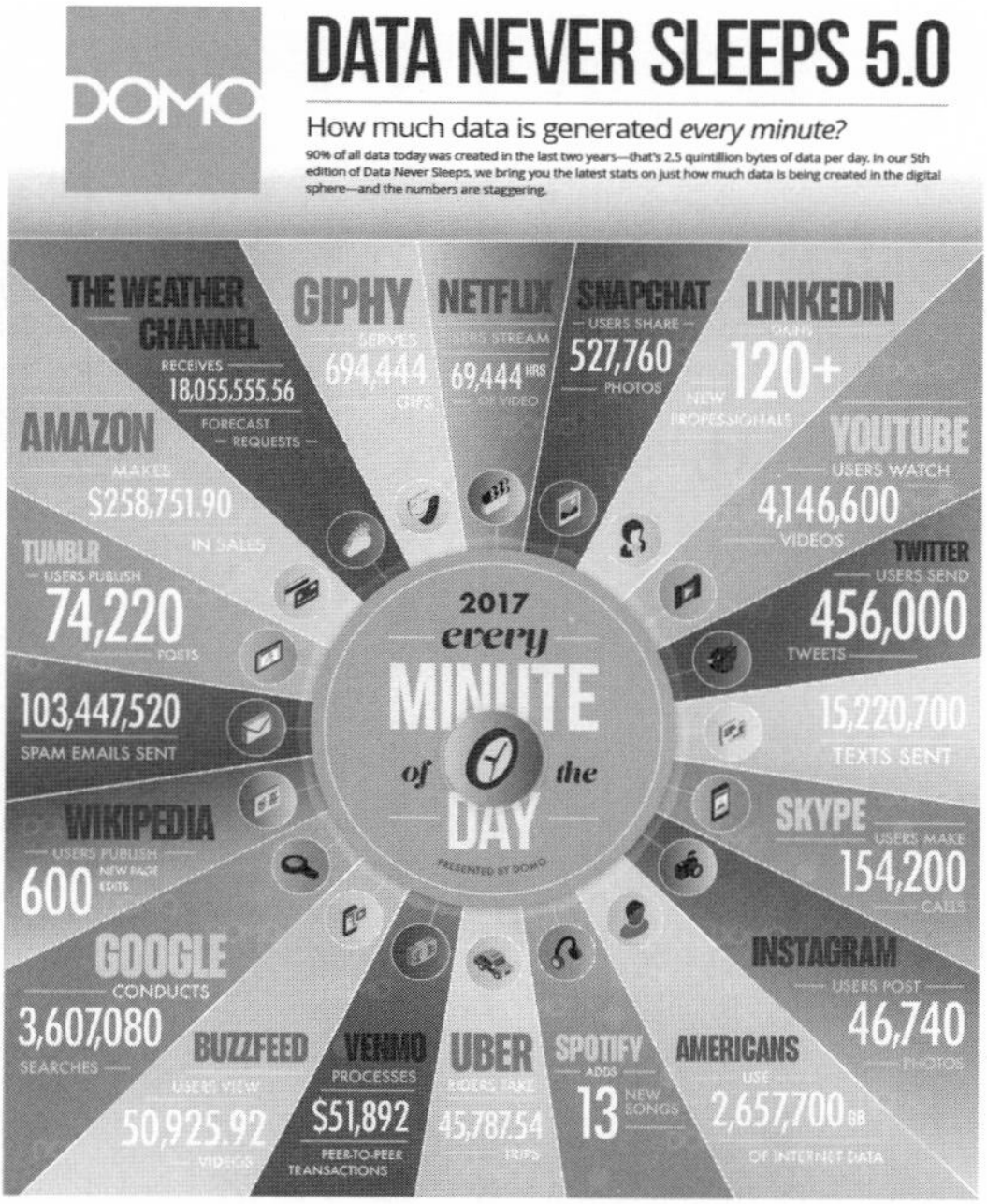

2015～17年に各インターネットサービスが1分ごとに生み出したデータ量（米ソフトウェア会社Domo発表）

られる。映画『００７カジノ・ロワイヤル』（２００６年）では、主人公ジェームズ・ボンドの動きを監視下に置くために、GPS搭載の小型カプセルを体内に埋めこむシーンが出てくる。今やそれは現実となっていて、スウェーデンでは数千人が体内にマイクロチップを埋めこみ、切符やクレジットカードや鍵として使用していると言われている。また、日本では19年6月に国会で動物愛護法が改正された。これにより災害時にペットとはぐれる事故や、捨てネコ捨てイヌ問題、ペット虐待に対策を打つため、イヌやネコにマイクロチップを埋めこむことが義務化される。こうしてモノだけでなく人やペットまでネットワークでつながるようになっているのだ。

　データがモノや家、車、人やペットを結びつければ、利便性は高まる。ただし、どんな便利なものにもマイナス面が当然ある。体内のマイクロチップは、個人情報の漏洩《ろうえい》や監視社会化につながるリスクがある。また、日常でデータに接する機会が増えれば、一般市民は自分の意思で判断できることは少なくなり、外部に委ねざるをえなくなるだろう。そうすると、間違ったデータに騙されてしまうことも多くなる。

　それでも私たちは、どんどん拡大し深くなっていくデータの海で生きていかなければならない。政治・経済から日常生活まで、データはあらゆる場面で関わり人間と密接不可分だ。私たちはデータ・リテラシーを今すぐ身につけ、高めていかねばならない。

第１章　「紙」とともに消える日本の新聞

トランプがもたらしたＮＹタイムズの黄金時代

２０１６年11月、アメリカ大統領選挙で共和党のドナルド・トランプが下馬評を大きく覆《くつがえ》して民主党のヒラリー・クリントンを破り、翌年１月、世界が「まさか」と予想だにしなかったトランプ大統領が誕生した。皮肉なことに、トランプのおかげでＮＹタイムズは、史上かつてない黄金時代を迎えている。

ＡＡＭ（アメリカ版「日本ＡＢＣ協会」）の統計によると、紙版ＮＹタイムズの過去最高部数は１９９５年の１５０万部だった。それが20年後の15年には90万部も部数を減らし、62万５０００部まで落ちこんでしまった。ところが、深刻なピンチに陥ったＮＹタイムズは急速に購読者を増やし、Ｖ字回復に成功する。

その大きな要因は２つある。第一に、非常に使い勝手がよく読みやすいスマートフォン用アプリを作り、紙ではなくデジタル空間に向けてニュースを発信するようになったことだ。もはやＮＹタイムズにとって、紙はまったくと言っていいほど重要ではない。ＮＹタイムズは紙の新聞を作る会社ではなく、スマートフォン用にニュースを作る会社へと生まれ変わったのだ。

第二に、トランプ政権への強い反発も影響した。トランプ大統領のやり方を好きな人もいれば、大嫌いな人もいる。トランプを支持しない人々は、彼の主張とは違ったアジェンダとモノの見方を示してくれるメディアを求めている。そのニーズに応えたのがＮＹタイムズだったのだ。

19年7～9月の3カ月間で、ＮＹタイムズの有料読者は27万３０００人も増えた。これにより、全読者数は４９０万人に達している。このうち50万人は、イギリスやカナダ、オーストラリアをはじめアメリカ以外の読者が占める。１年間に１００万人のペースで読者が増えているというのは驚くべき現象だ。

19年２月、ＮＹタイムズは２０２５年までに１０００万人以上へと有料購読者数を伸ばす目標を発表した。11月には、このうち８００万人はアメリカ国内、２００万人は国外の読者をターゲットとして見据えることを新目標として掲げた。アメリカ一国のみならず、世界中の読者に向けたニュースを強化する計画だ。

私は２００５年からＮＹタイムズ東京支局で記者として勤務し、09年から15年まで東京支局長を務めている。スマートフォンを中心としたデジタルメディアはこの時期に目覚ましく発展し、ＮＹタイムズを含む紙の新聞は危機に陥った。

それを乗り越えるため、ＮＹタイムズは紙版から電子版へと急速に切り替えを進める。その試みは大成功した。紙の時代に過去最高の部数は１５０万部だったわけだから、今はその３倍以上もの読者がいることになる。

16年の大統領選挙戦から今に至るまで、トランプはツイッターを使って平気でフェイクニュースを流してきた（詳しくは第２章で述べる）。ヒスパニック（中南米系の移民）やＬＧＢＴ（性的少数者）への差別もたびたび口にしてきた。

そのトランプに嫌気がさしたアメリカ人は、信頼できる情報を求めてＮＹタイムズに殺到した。イギリスではＢＢＣが世界中のニュースを報道しているが、別の角度からの世界のニュースを知りたいイギリス人はＮＹタイムズを購読している。

カナダやオーストラリアのメディアは海外のニュース報道が弱いのだが、ＮＹタイムズは全世界の情報を幅広くカバーしている。だから自国のメディアと合わせて、ＮＹタイムズを購読するカナダ人やオーストラリア人が多く存在するのだ。トランプの登場によって、今アメリカでいったい何が起きているのか海外の人は詳しく知りたがっている。トランプ旋風が吹き荒れたことが、海外での諸者数増に影響していることは間違いない。

ホワイトハウスからの締め出しが追い風に

ＮＹタイムズのウェブサイトにアクセスすると、１カ月に５本までなら記事をタダで読める。有料購読者にはならず月に５本だけという人は、英語が使われているインドなどでも多い。もし関心があれば、最初は試しにタダでいくつかニュースを読み、もっと自由に読みたくなれば有料版の読者になればいい。

ＮＹタイムズの有料購読者が１０００万人を超えれば、かつての読売新聞の部数を追い越して、歴史上世界一の部数に達する。現状でも有料購読者は５００万人なのだから、朝日新聞の現在の読者数とほぼ肩を並べた。「日本の新聞は世界で最も部数が多い」「読売新聞は１０００万人」「朝日新聞は８００万人」と言われていた時代は、すでに終わりつつあるのだ。

私がツイッターでそのことを紹介したところ、アメリカで働くＮＹタイムズの購読部門担当者が「本当ですか？　読売新聞の部数はどうしてそんなに大きいんですか？」とメールを送ってきたのには笑った。その人はYomiuriの名前は知っていたが、１０００万部も出している新聞だとは認識していなかったようだ。

ＮＹタイムズでは、反トランプの論説を載せれば載せるほど読者の支持は高まる。トランプとは違ったビジョンをキャンペーンによって広め、多様なアジェンダを読者に示す。その結果が経営危機からの脱出だ。

２期目を目指すトランプの戦いは、すでに激しくなっている。20年11月の大統領選挙へ向けて、トランプ対ＮＹタイムズの攻防は過熱し、有料購読者はますます増えていくだろう。

19年10月、ホワイトハウス（大統領官邸）はＮＹタイムズとワシントン・ポストの購読をやめ、両紙を締め出した。ホワイトハウス以外の政府系機関でも、新聞の購読を停止するそうだ。ああいうあからさまな嫌がらせをやると、読者はなおさら「今こそＮＹタイムズとワシントン・ポストを応援しよう」「ウチでも購読しよう」と支持して、むしろ部数は伸びる。トランプ大統領は自分を攻撃する新聞を叩いているつもりかもしれないが、逆に宣伝になっているのがおかしい。

NYタイムズのアプリをフル活用せよ

昔は通勤電車の中で、新聞をうまく四つ折りにして、まわりの乗客に迷惑をかけないように読んでいるサラリーマンがいたものだ。今では電車の中で、紙の新聞を読んでいる人はほとんど見当たらない。皆スマートフォンに目を落とし、ネットニュースを見たりゲームで遊んだり動画を見たり、あるいはキンドルのアプリでマンガや本を読んでいる。たまに文庫本で小説を読んでいる人がいるくらいだ。

今の若い人たちには、かつての日本人がどれほど紙の新聞を信頼して熟読していたかきっと想像もつかないだろう。

日本の英字新聞 The Japan Times を定期購読すると、ＮＹタイムズの紙版も一緒に配達してくれる（月額５６６０円）。印刷された紙版を読めるだけでなく、ウェブサイトやスマートフォンアプリで記事を読み放題のパスワードももらえる。

「紙の新聞は必要ない」という人は、NYタイムズのウェブサイトから申しこめば、購読料は月額たった17ドル（1800円）だ。1851年の創刊から170年分近いバックナンバーをすべて検索できるし、紙版には載せきれない写真もカラーでたくさん見られる。アプリならではの技術を駆使した、ビジュアル的にとても読みやすい特集記事や動画も豊富だ。アプリを使えば、混雑した電車内でも片手で記事が読める。

多くの読者は、メールマガジンの活用から始めている。まずアプリにID（メールアドレス）とパスワードを入力してログインする。ビジネスの話題に関心がある人は、ビジネスのセクションで“sign-up here”と書かれているところをクリックし、ビジネス関係の記事をピックアップしたメールマガジンを申しこむことができる。科学の話題が好きな人、テクノロジーの話題が好きな人は、それぞれ別のメールマガジンに登録する。

メールマガジンでは編集者がキュレーター（情報の選別者）の役割を果たし、今一番オススメで読みごたえのある記事を教えてくれる。それを読めば、大事な記事をうっかり見落とすことなく確実に目を通せるのだ。

毎朝配信されるメールマガジンは、Morning Briefingという。アジア版のMorning Briefingをニューヨーク支局の記者が作り、香港支局の記者はヨーロッパ版のMorning

Briefingを作り、ヨーロッパ支局の記者はアメリカ版のMorning Briefingを作る。

世界中の読者が朝起きたとき、すぐに読むべき記事がMorning Briefingとして用意されるという、紙の「朝刊」の読みどころをコンパクトにまとめたメールマガジンだ。夕方配信のMonday Evening Briefingもある。これは紙で言うところの「月曜日の夕刊」だ。こうしたメールマガジンをうまく活用すると、たくさんある記事の中から自分が興味のあるものをうまくピックアップできる。

デジタル転換に遅れる日本の新聞

時代は紙からスマートフォンへと急速に移り変わっているのに、日本の新聞は未だに紙ベースで記事を作っている。日本経済新聞は、日本の新聞社の中で例外的に変革が進んでいるほうだとは思う。

10年３月にスタートした日経新聞電子版は、毎年５万人以上のペースで順調に有料会員数を伸ばし続け、17年には50万人、18年には60万人を突破した。まだ「紙体質」は残るものの、他の新聞社と比べると明らかにスマートフォン向けの配信に注力している。

ＮＹタイムズのアプリを開くと、記事はまさにスマートフォンに特化して作られている。

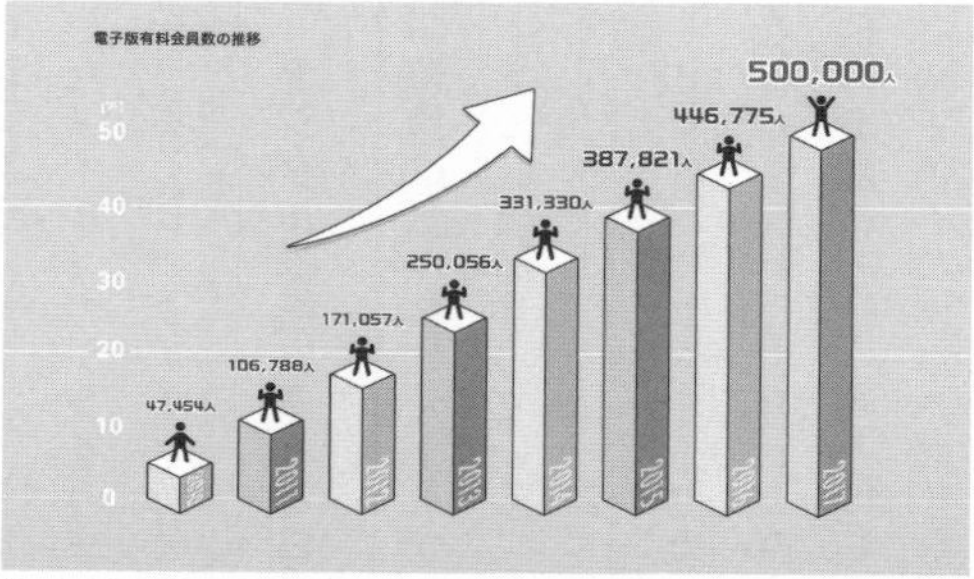

「日経電子版の歩みと有料会員数」(日本経済新聞ウェブサイトより)

手のひらに収まるこの小さな機械に合わせたレイアウトや見せ方がなされ、紙の新聞に載っている記事を無理やり転載しているわけではない。むしろNYタイムズやアメリカの大手新聞は、最初からスマートフォン用に記事を作っている。つまり、NYタイムズはdigital native(デジタルネイティブ)、デジタル環境の中で生きる存在になった。そこが日本の新聞社と大きく異なっていて、まさに成否を分けるポイントだ。

紙版のNYタイムズだと、紙面に限りがあるので写真の点数が少ない。写真はカラーではなくモノクロが多い。ところがスマートフォンのアプリで同じ記事を開くと、紙には載っていない写真もカラーでたくさん掲載されている。同じ有料購読者でも、紙で記事を読むとなんだか損した気分になる。

したがってNYタイムズは、紙ではなくスマホで読んだほうが絶対にいい。現在のNYタイムズはアプリ専用の報道機関になった。もはや読者がオフィスのパソコンで記事を読むことすら想定していないのだ。

ＮＹタイムズだけでなく、ワシントン・ポストもデジタルネイティブに変身できた。ワシントン・ポストの場合、ジェフ・ベゾス氏の買収によるアマゾンの技術やノウハウの導入のおかげで、ウェブサイトへのアクセス数を大きく伸ばした。ワシントン・ポストのウェブサイトには、ＮＹタイムズを上回って1カ月に延べ10億人以上のアクセスがある。

ＮＹタイムズとワシントン・ポストは互いに競争しているが、ビジネスモデルはだいぶ違う。ウェブサイトやアプリへのアクセスを重視しているワシントン・ポストは、ＮＹタイムズほど有料購読者を重視していない。だからタダで見られる記事が多いし、年間たった29ドル（３０５０円）さえ払えば有料購読者になれる（2年目以降は年間１００ドル）。

ＮＹタイムズは1カ月にタダで見られる記事の本数を減らし、読んでおもしろいと思った人を、なるべく月額17ドル（１８００円）の有料購読者へと誘導する戦略を取っている。

ウォール・ストリート・ジャーナルも頑張ってはいるが、ＮＹタイムズやワシントン・ポストに比べると、スマホへの対応にやや遅れた。ウォール・ストリート・ジャーナルは、新聞や雑誌を読み放題で購読できるApple News+（アップルニュースプラス）に参加している（月額9・99ドル）。オンラインの日本語版は、月額１９９９円＋税で購読できる。日経新聞をアイパッドやスマホで読んでいる読者に、日本語版のウォール・ストリート・ジャーナルも併読してもらおうという戦略だ。

60歳以下の日本人は、多くが紙ではなくスマートフォンで読んでいる。なのに日本の新聞社は、ウェブサイトに無理やり紙の記事を転載している状態をちっともあらためようとしない。彼らは市場の大部分を無視して、未だに紙の呪縛にとらわれているのだ。

スマートフォンによって変わった伝え方

朝日新聞や読売新聞の欄外スペースを見ると、「第10版」「第12版」といった注記がある。「第1版」は最も早い締切で作られた紙面だ。印刷所が待てるギリギリの最終締切まで、紙面は何度も更新される。NYタイムズもかつてはそういう作り方をしていた。

東京支局とニューヨーク本社との時差が13～14時間近くあるから、紙版の最終締切は翌日の朝（ニューヨーク時間の夜）だ。だから日本で夜に大きな事件が起きると、まずは対象者にインタビューして、情報を集めておく。その日の夜は早く寝て、早朝に早起きして記事を書く。そういうやり方で、締切に向かって記事を書いていた。

それがネットであれば、速報性があるニュースは今すぐにでも発表できる。東日本大震災が起きたとき、私は会社から支給されているイリジウム（衛星携帯電話）を使って、ブレイキング・ニュース（速報）を小刻みに何度も発信した。

　スマートフォン時代には、速報性だけでなく、記事の見せ方とストーリーの伝え方も工夫しなければならない。スマートフォンはパソコンと違って画面がとても小さいため、一度に読める文字はせいぜい50文字だ。だから当然、紙とスマートフォンではストーリーの伝え方が変わる。記事の途中で画面が切れてしまうと読みにくくてかなわないし、50文字の範囲内で、読者の関心を惹《ひ》かなければならない。

「スマートフォンで記事を伝える」という方向に振り切ってから、ＮＹタイムズのストーリーの組み立て方は、紙の時代とは完全に変わった。スマートフォンを使えば、写真やチャートを多用するなど、紙では絶対にできない記事構成が可能になる。

　発想と考え方を根本的に切り替えなければ、新聞社はスマートフォン時代に対応できない。ドラスティックな変化が必要なのだ。そのかわり、うまく対応できれば、新聞社は有料購読者を大きく拡大できる。ＮＹタイムズのようにネットで記事を拡散して、全国さらには世界にまで読者を広げられるのだ。

マクルーハンの至言「メディアはメッセージ」

NYタイムズの読者は、すでに7~8割がスマートフォンで記事を読んでいる。紙の新聞を読んでいたり、パソコンを使ってウェブサイトで記事を読んでいたりする読者は、おそらく全体の2割程度しかいないと思う。

メディア・スタディーズで有名なカナダの社会学者マーシャル・マクルーハンは、「メディアはメッセージである」「紙とネットでは、同じ記事でも媒体によってメッセージが変わる」と看破した(『グーテンベルクの銀河系』『メディア論』などの著作が日本語にも翻訳されているので興味のある方は読んでみてほしい)。

紙で読むのと、パソコンで読むのと、スマートフォンで読むのとでは、同じ記事でも読み方と見え方が三者三様で全部異なる。情報を伝達する側は、媒体によってストーリーの伝え方を変えなければならない。現代を生きるメディア人と新聞記者は、スマートフォンに合ったストーリーの伝え方を考え抜かなければならないのだ。

ストーリーの伝え方、組み立て方だけでなく、ニュースそのものの伝え方も変わる。メディアがアプリを開発すれば、読者に向けてニュースをダイレクトに発信するプラットフォームとなる。これは紙の時代にはなかった大きな変化だ。

パソコンとインターネットが登場したころ、新聞はグーグルやヤフーにプラットフォームをみすみす譲り、情報を発信する貴重な水源、川上を失ってしまった。今はその失地を回復し、新聞社が情報発信の拠点を取り戻す大きなチャンスなのだ。

20年で１６００万部もの激減

ＮＹタイムズやワシントン・ポストが大きく部数を伸ばす一方、日本の新聞は残念ながらものすごい勢いで部数を減らしている。日本の新聞発行部数は、97年に過去最高の５３７６万５０００部を記録した。それから22年後の19年、部数は３７８１万１２００部まで減っている。１６００万部近くも減った計算だ（19年10月／日本新聞協会による）。

日本ＡＢＣ協会が発表した、２０１９年上半期の部数を見てみよう。

▼読売新聞＝８０９万９４４５部
▼朝日新聞＝５５７万９３９８部
▼毎日新聞＝２４３万５６４７部

◆主要全国紙（朝刊）の部数推移

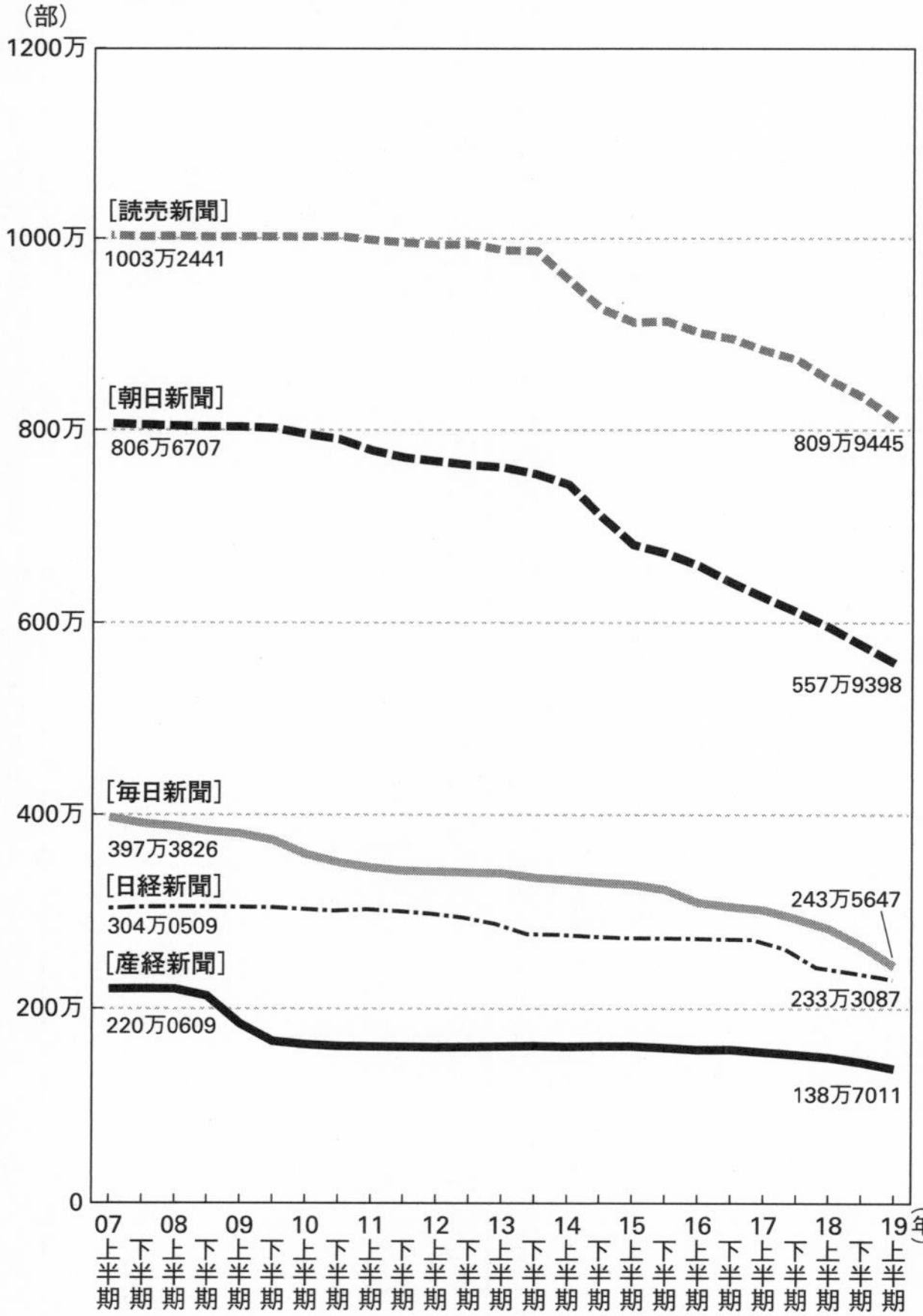

出所）「日本ABC協会調査」より

▼日本経済新聞＝233万3087部
▼産経新聞＝138万7011部

恐ろしいことに、読売新聞は2007年以降に200万部近くも部数を減らしている。つまり、産経新聞が丸ごと一つ消えたに等しい。朝日新聞の部数の減り方はさらにひどく、806万部から250万部も減った。朝日新聞の部数が急激に下がり始めたのは2014年だから、原発事故と慰安婦問題をめぐる記事取り消し事件の影響が明らかだ。毎日新聞も、07年の397万部から243万部まで部数を減らしている。40％の減少だからすさまじい。

記者クラブ制度とアクセス・ジャーナリズム

ジャーナリズムには、①アクセス・ジャーナリズム、②アカウンタビリティー・ジャーナリズム（accountability journalism）という2通りのアプローチがある。アクセス・ジャーナリズムとは、日本の記者クラブのように特定の情報源に依存する手法だ。アカウンタビリティー・ジャーナリズムは、記者がそれぞれ独自の取材によって権力者を監視し、責任を追及する。その代表的なアプローチが、調査報道（investigative journalism）だ。調査報道は、権力者にとって知られたくない情報やファクトを見つけ出す。場合によっては、権力者の主張とは真っ向から異なるストーリーを暴く。

権力とジャーナリストが距離を保ち、「権力者が伝えるストーリーは正しくない。ファクトに基づいていない。本当のストーリーはこうだ」と明かして、最終的に権力者に責任を取らせる。権力者にアカウンタビリティ（accountability＝説明責任）を果たさせるのが調査報道だ。だが隠されたファクトを集め、ストーリーを組み立てる調査報道は容易ではない。

かたやアクセス・ジャーナリズムは、政治家や検察官、警察官や企業の広報と仲良くしておけば、簡単に情報が手に入る。権力者と仲良くならなければ情報をプレゼントしてもらえないため、彼らのことは批判しづらい。次から新しい情報をもらえなくなることを怖れ、情報源と癒着したつまらない報道になってしまう。「特ダネをもらえるチャンスを待つ」という「待ち」の姿勢になり、自ら動こうとしなくなるのだ。

そしてその特ダネとは、読者にとってはつまらないことが多い。「安倍政権が来週から新しいことを始めます」「経済産業省が新しい事業をスタートします」と、来週やることを今日前倒しでニュースにする。これが特ダネと言えるわけがない。ただのリークだ。

　手間と時間がかかり、おまけに権力者から疎《うと》まれて恨みを買う調査報道は極力やらない。記者クラブに依存し、安易なアクセス・ジャーナリズムによって得た情報を日々流す。その結果、日本の新聞は読者からソッポを向かれて部数を大きく落としてしまった。

新時代の「キャンペーン・ジャーナリズム」

　NYタイムズをはじめアメリカのメディアにとって、興味深い時代がやってきた。「キャンペーン・ジャーナリズム」の復活である。

　アメリカで「キャンペーン・ジャーナリズム」の萌芽《ほうが》が現れたのは今から１２０年前、１９００年頃のことだ。１８９３年、ニューヨークでサミュエル・シドニー・マクルーア(Samuel Sidney McClure)が「マクルーアズ・マガジン」(McClure's Magazine)を創刊した。この雑誌でイーダ・ターベル(Ida Tarbell)、レイ・ベイカー(Ray Baker)、リンカーン・ステフェンズ(Lincoln Steffens)といったジャーナリストが、調査報道を精力的に展開する。

　政財界の腐敗を追及する彼らジャーナリストを、時の大統領セオドア・ルーズヴェルト(Theodore Roosevelt)は「マックレイカーズ」(muckrakers)と揶揄《やゆ》した。「muck」は

「泥」「ぬかるみ」「汚いもの」といった意味の単語で、転じて「水面下に隠蔽《いんぺい》された不正、腐敗」を表現する。「rake」は「掻《か》き出す」「暴き出す」という意味だ。

マックレイカーズたちは、「マクルーアズ・マガジン」のみならずさまざまな新聞・雑誌で、精力的に調査報道の記事やノンフィクション作品、小説を書き綴《つづ》った。スタンダード・オイルという巨大企業を取材し、粘り強い調査報道によって不正行為と腐敗を暴露したこともあった。スタンダード・オイルは当時、アメリカ社会で石油利権を独占して強大な力をもっており、現在の石油メジャー（エクソンモービルなど）の元となった巨大企業だ。ライバル企業の買収により形成されたトラストの問題に、マックレイカーズはジャーナリズムによって戦いを挑んだ。

調査報道は、時に政治的キャンペーン、市民運動と一体化することがある。最も有名な例は、アプトン・シンクレア（Upton Sinclair）が１９０６年に出版した『ジャングル』（The Jungle）だ。『ジャングル』は巨大食肉産業で働く移民が置かれた不衛生な作業工程、劣悪な労働環境を描き、おおいに話題になった。この本をきっかけとして、アメリカ議会で食品管理法が成立する。調査報道が政治を動かし、現実の社会変革に結びついたのだ。

大物プロデューサーを追及する #MeToo 運動

それから１００年以上が経過し、再び「キャンペーン・ジャーナリズム」が台頭している。ＮＹタイムズはその先頭に立って調査報道を展開中だ。その代表例が、女性のレイプ被害やセクシャル・ハラスメントを告発する #MeToo 運動だ。[*5] ＮＹタイムズのジョディ・カンター（Jodi Kantor）記者とミーガン・トゥーイー（Megan Twohey）記者は、この #MeToo 問題の調査報道によって２０１８年にピューリッツァー賞を受賞した。

ハーヴェイ・ワインスタイン（Harvey Weinstein）といえば、『イングリッシュ・ペイシェント』『グッド・ウィル・ハンティング』『ロード・オブ・ザ・リング』『ギャング・オブ・ニューヨーク』『キル・ビル』『英国王のスピーチ』『華氏９１１』など数多くのヒット作を生み出してきたハリウッドの超大物映画プロデューサーである。

そのワインスタインが、プロデューサーという権力を笠に着て、女優たちにレイプやセクハラを行なっていた。映画業界に激震が走り、彼は２０１８年5月に逮捕される。そして２

＊5　https://www.nytimes.com/2020/01/08/reader-center/reporters-reflect-metoo.html

020年3月11日、禁錮23年の判決が下された。ハリウッドで権勢をほしいままにし、女優を次々と毒牙にかけてきたワインスタインの威光は地に墜ちた。この衝撃的な事件は#MeToo の象徴となり、性被害反対のムーブメントは世界へ広がっていく。

NYタイムズは、ワインスタインの事例にとどまらず、女性に対する性的虐待や不当な扱いを糾弾するキャンペーン・ジャーナリズムを大々的に行なった。私の後継であるNYタイムズのモトコ・リッチ（Motoko Rich）東京支局長は、伊藤詩織さんが訴えるレイプ被害について取材し、伊藤さんの体験をプロフィール記事として紹介した[*6]。その夜に何が起きたのか、そしていかに警察が彼女の主張をしりぞけ、マスコミが真剣に取り上げようとしなかったかをリッチは綴った。この記事により、伊藤さんの存在は日本版 #MeToo として世界的に広く知られることとなる。

#MeToo 以外にも、NYタイムズは「マイノリティが見た選挙」といったテーマでもよく記事を書く。多様性に対する社会的な理解をさらに広げ、今まで声を上げられなかった人たちに発言してもらう。なかなか光が当たらない少数者の視点を敢えて取り上げることも、キャンペーン・ジャーナリズムの一環だ。

なお近年のNYタイムズは、様々な国籍の人や民族的マイノリティ（少数者）、ゲイやレズビアンといった性的マイノリティ、さらに多くの女性を記者として積極的に採用している。彼ら彼女らの取材記事をどんどん掲載することによって、白人中心の社会、男性中心の社会で埋もれがちな主張を社会に届ける。

こうした取り組みにより、今まで見られなかった新しいタイプのキャンペーン・ジャーナリズムがさらに増えていくだろう。この報道の試みは、内向きな分断思考や排外主義が広がるアメリカに多様性をもたらし、社会的公正の実現に寄与するに違いない。ちなみに現在、NYタイムズの編集長を務めるディーン・バケット氏（Dean Baquet）は、アメリカの新聞社で初めて誕生した黒人の編集長だ。

原発事故のSPEEDI隠蔽

日本ではアクセス・ジャーナリズムが多い。そこから生じる問題は3・11直後に露わになった。

東京電力福島第一原子力発電所が事故を起こした当時、政府はSPEEDI《スピーディ》（緊急時迅速

＊6　https://www.nytimes.com/2017/12/29/world/asia/japan-rape.html

放射能影響予測ネットワークシステム）を公開せず隠蔽した。この事実を最初に報道したのは読売新聞（11年3月15日付）だ（ただし結局、政府の言い訳をそのまま報じるだけで、追及はしなかった）。

ＳＰＥＥＤＩ隠蔽のように、権力者が明らかにしてほしくないファクトを探し出して読者に見せる。これこそが本当の特ダネだ。「権力者を監視する番犬」というメディアの重要な役割を果たすためには、アクセス・ジャーナリズムに偏りすぎるようではいけない。

もちろん権力者が常に悪いことをするわけではないし、いつもメディアと敵対的な関係である必要はないと思う。権力者と近い距離で記者が話をし、情報を得たほうがいい場面もある。

たとえば地震や台風、水害など大規模な自然災害が起きたときには、現政権を批判ばかりしていても埒《らち》が明かない。一刻も早く被災地が復旧できるよう、気象庁に張りついて最新の情報を発信し、国土交通省に入り込んでインフラ復旧の見通しを逐一アナウンスする。こういう報道は必要だ。

「アクセス・ジャーナリズムはいつも悪い」と悪者扱いするつもりは毛頭ないが、３６５日常にアクセス・ジャーナリズムに偏った報道をするのは危険だと思う。平時から記者クラブ制度に頼りすぎると、肝心なときに記者が調査報道に動けず、権力者からいいようにコントロールされてしまうからだ。

日本の場合、現政権寄りではない一部の地方新聞は、権力からの独立性を保てている。たとえば琉球新報や沖縄タイムス、東京新聞だ。いずれも政治色が濃厚な側面はあるが、逆に色が薄くなると、朝日新聞や読売新聞のように政権ベッタリの報道になってしまう。残念ながら今の朝日新聞や読売新聞には、ジャーナリズムの独立性が十分に感じられない。

いかにして、読者のための記事を書いて積極的に提供するか。部数激減に喘《あえ》ぐ日本の新聞にとって、変革へと思いきって一歩を踏み出す潮時が来ていると思う。

「吉田調書」をめぐる朝日の失敗

新聞社がカルテルのように協定を結び、権力者からもたらされる情報を独占状態、寡占状態に置く。自分たちのビジネスを守る。これが記者クラブ制度の本質だ。こうした古いモデルは、もはや市民のためになっていない。読者は不満を抱え、メディアに対する不信感はますます大きくなる。「ネットとアプリへの転換」というビジネスモデルに切り替えるだけでなく、取材のやり方を根本的に変えなければ、日本の新聞の復活はありえない。

権力者にアカウンタビリティを求める報道姿勢は、朝日新聞や東京新聞、同新聞中面の「こちら特報部」に一部残ってはいる。ほかはＦＡＣＴＡ誌や元朝日新聞記者が運営している独立系のジャーナリズムＮＧＯ「ワセダクロニクル」くらいしか見当たらない。

アクセス・ジャーナリズムに対する問題意識は、既存メディアにおいては希薄すぎる。彼らは「記者クラブの何が悪いんですか？」と本気で思っているのだろう。アクセス・ジャーナリズムをみんなが横並びでやっていれば、自社だけがネタを取りっぱぐれることなく、安心して毎日を送れる。彼らはその状況にどっぷりと漬かってしまっているのだ。

経済産業省の番記者であれば、たとえば「来週、福井の大飯《おおい》原発を再稼働します」というニュースをみんなが1面で報道する。こういう報道はとてもリスクが低い。政府からプレスリリースをもらって報じれば、そのとおりに事が運ぶ。すると誰からもクレームは来ない。

調査報道によってアカウンタビリティを求める仕事には、少なく見積もってアクセス・ジャーナリズムの数倍の労力が必要だ。どこかで取材に甘さがあったり、曖昧《あいまい》な部分を残したりすると、権力者からそこを突かれて反対に攻撃されてしまう。ちょっとでも弱点があると、重箱の隅をつつくように突き止められ、権力者から総攻撃される。

その典型が、吉田調書をめぐる朝日新聞の報道だ。記事そのものに間違いはまったくなかったが、見出しに誤解を招く言葉があったことを突いて、安倍政権は朝日新聞をフェイクニュース扱いして猛攻撃した。朝日新聞はそれに降伏し、記事を取り消してしまった（詳しくは私の前著『安倍政権にひれ伏す日本のメディア』を読んでもらいたい）。

調査報道のリスクは極めて高い。あのつまずきによって、朝日新聞はそれ以上リスクを取ることができなくなってしまった。新聞社として「調査報道はもうやめる。再びアクセス・ジャーナリズムに戻ろう」と方針転換してしまったのだ。

小泉進次郎の「脱原発発言」

これからの日本にとって、どういう選択肢がありうるのか。オルタナティブな見方を読者や視聴者に伝える役割を、日本のマスメディアは十分果たしていない。「自民党一党支配」とか「政権への忖度《そんたく》」という言葉がはやっているとおり、日本には触れてはいけないタブー扱いのトピックスがあまりにも多いのだ。

福島第一原発の事故による放射能汚染、除染作業によって生じる大量の土壌、海洋汚染の問題について、日本のメディアはほとんど報じなくなってしまった。農業および漁業関係者、観光業者から押し寄せるクレームのリスクが高すぎるため、最低限の情報しか伝えないのだ。

だから福島が今どうなっているのか。原発の現状はどうなのか。日本の報道を見ていても、最新の情報はなかなかわからない。
19年9月、自民党の小泉進次郎・衆議院議員が環境大臣に就任した。大臣就任後初めての記者会見で、小泉氏は次のように語っている。

日本テレビ記者　福島原発事故、東日本大震災から8年と半年が経ちましたけれども、大臣はあれだけの汚染が起こってしまった、原発事故ということに関してどのように今お考えになられますか。

小泉大臣　二度起こしたら終わりだと思いますね。一つの国で。だから、思いを持って、復興に取り組んでいきたい。二度とあんなことを起こしてはいけないと。（中略）

記者　それでも二度と起こしていけないとおっしゃってますけども、原発の再稼働の原子力発電ということに関しては、防災大臣も兼ねられてますけれども、どのようにお考えになられますか。

小泉大臣　どうやったら残せるのではなくて、どうやったらなくせるのかを考え続けていきたいと思います。（19年9月11日、環境省ホームページの会見録より）

イギリスの The Guardian（ガーディアン）やアメリカの新聞は「日本の環境大臣が『原発をなくすべきだ』と発言した」とニュースで大きく取り上げた。だが日本のメディアは、この発言をそれほど大きく扱っていない。海外と日本のメディアの温度差は対照的だった。

小泉大臣が本当に脱原発を目指したいのかどうか、本気であればどうやって実現するのかは不明のままだ。就任後初めての記者会見なので、深い考えも具体策もなしに、ただ大げさなことを言っただけなのか。記者会見のたびに各新聞社やテレビ局の記者が粘り強く質問し、報道を続ければいい。なのに「危ない話題には触れないでおこう」と穏便に済ませ、彼の脱原発ビジョンをうやむやにしてしまうのはどうかと思う。

報道姿勢を今こそ問い直せ

ネットの台頭によって、今や新聞やテレビといったオールド・メディアのビジネスモデルは脅かされている。そうした中で、マスコミはますますリスクを取ることを避けるようになってきた。だが本当に進むべき道は逆だと思う。ピンチの状況にあるからこそ、思いきってリスクを取り、読者や視聴者が求めている情報を提供するべきなのだ。

なのにマスコミは保身に走り、アクセス・ジャーナリズムと記者クラブの〝特権〟を守る保守的な姿勢に徹してしまっている。

今こそオールド・メディアは古いモデルをかなぐり捨てて、読者や視聴者との新しい関係、新しい接触の方法を模索しなければならない。ジャーナリストとして自分はどういう仕事をするべきかを一度見つめ直し、姿勢を根本的にあらためるべきだ。残念ながら、そうした変化の兆候は今のところ見えない。

アクセス・ジャーナリズムがなぜ読者や視聴者のためにならないのか。自分が番記者を務めている大臣や政治家を怒らせたくない。だから取材先が嫌がる痛いニュースを報道できなくなってしまう。「ウチに特ダネをくれればちゃんと言われたとおりに伝えますよ」と、記者は権力者にすり寄る。

そうやって得た情報をニュースにしたところで、そんなものは読者のためにならない。記者クラブから排除され、番記者の連合体からはじき飛ばされてしまっても、ジャーナリストはいくらでも取材を続けられる。メディアがピンチに陥る今だからこそ、ジャーナリストは読者が求めるニュースを果敢に報じるべきなのだ。

ＮＨＫニュースを見るとよくわかるが、彼らは基本的に政府の行動をそのまま伝えるスタンスを重視する。「××省が動き出す」「××省がこういう問題について△△という対策を取っている」「××大臣がこういう発言をした」「警察はこの事件を調べている」ということがニュースになる。ニュースの主語はたいてい政府だ。

霞が関（中央省庁）の行動を国民に伝えることが、戦後の日本のジャーナリズムの主要な仕事になってしまった。アメリカのニュースはそこが大きく違う。政府が主役の報道はもちろんあるが、そうではないニュースもたくさんある。

ただし、記者クラブだけが悪いわけではない。一番悪いのは、今のメディア制度がもたらすマインドであり姿勢だ。ここまで何度も批判対象の代名詞として触れてきたが、実際は記者クラブの部屋があろうがなかろうが関係ない。記者が1人のジャーナリストとしての矜《きょう》持《じ》をしっかりもっていれば、記者クラブに所属していようがいまいが自立した報道は必ずできる。

日本にとって非常に優先度が高い原子力政策について、マスコミはなかなか批判しない。東海村のＪＣＯ（茨城県にある原子力燃料加工施設）で事故が起きたときは（99年9月）、さすがにメディアも必死で調査を進め、政府の原子力政策について批判的な報道をした。だが平時にはそうした姿勢は見られない。事故が何もないときにこそ、独自取材によって「この原子力施設には本当はこういう問題がある」と言えるかどうかが重要だ。

経済産業省のような役所に日夜くっついて仕事をしていると、どうしたって記者は官僚と同じマインド、同じ考え方になってしまう。少し誇張を含んだ言い方になるが、東京で仕事をする霞が関の官僚は「政府の意向、政府の政策に反対する市民は左翼活動家だ」と考えがちだが、記者たちも自らそのような思考に陥ってしまうのだ。

霞が関から離れて独自の取材をする記者は、今の新聞では社会面の担当者くらいだろう。構造的に、日本の「記者クラブメディア」は官僚体制の一部に組みこまれてしまっているのだ。原子力発電については、それがとてもわかりやすい。原発の反対者が言うことは否定して報道せず、メディアは政府が説明する立場を鵜《う》呑《の》みにするからだ。

東京電力の広報担当や経済産業省の官僚は技術的な説明に終始し、原子力発電がいかに安全かを強調する。原発がある地元の反対者は、半ば感情的な意見と怒りをぶつける。だから両者の主張は常に平行線で対立する。

電力会社や官僚は、原発反対派の市民の正当性を否定する。愛媛県の伊方原発に反対する住民は「あいつらは左翼活動家だ」とか「共産党の手先だ」と不当に扱われてきた。その人たちの本音がまるで報じられることなく、メディアはアクセス・ジャーナリズムによって原子力政策を正当化してきたのだ。

販売店と配達制度の桎梏

なぜ日本の新聞社は、ここまで改革に出遅れてしまったのだろう。単刀直入に言うと、新聞販売店と配達制度により全国津々浦々に何万人もの従業員がいて、新聞社は彼らの仕事を守ろうとしているのだ。

「電子版の新聞を出す」とか「有料のアプリを出す」と発表すると、「自分たちの仕事が奪われる」という危機感に駆られた販売店の反発はものすごい。そこに配慮していることが、新聞社改革の足かせになっているのだ。だからどうしても紙に先に記事を出し、半日か１日遅れでウェブ版にまったく同じ記事を転載する流れになる。

２０００人の記者がいるとすれば、配達の仕事をしている人は10倍の２万人はいるだろう。電子版とアプリに移行したとき、その人たちの雇用をどう守るのか。ＮＹタイムズには日本の新聞のような配達制度がなかったから、比較的身軽にデジタルへピボットできた。

読売新聞や朝日新聞は配達制度にとらわれているせいで、どんどん部数を減らしている。おそらく２０２０年のうちに、ＮＹタイムズの部数は朝日新聞を超えるだろう。

すべての町に、町工場のように全国新聞のオフィス（販売店）がある。北海道から沖縄まで、どこであろうが紙の新聞を人間が配る。こうした日本の新聞配達制度は、世界的に見て相当特殊だ。

もう一つ深刻な問題がある。日本の新聞が、若い読者の存在をまるで無視していることだ。これは致命的な間違いだと思う。将来も生き残りたいならば、新聞は若い読者を無視していてはいけない。若者向けの使いやすいスマートフォンアプリを作らず、紙をそのままコピーしたようなウェブサイトしかもたない。このままでは、日本の新聞は泥舟のように丸ごと沈没してしまう。

先ほども述べたように、NYタイムズにも同様の危機があった。私は当時NYタイムズ東京支局で仕事をしていたから、あのときの社内の状況は皮膚感覚でよく覚えている。

「NYタイムズが生き残る方法は何か。紙ではなく、デジタルのメディアになるしかない」「我々はもはや紙の新聞ではないのだ」。そう宣言し、スタッフのマインドを根本的にあらためてNYタイムズは再生した。従業員を大勢解雇し、大きな痛みを伴う改革だった。その改革をやらなければ、NYタイムズはもうなかっただろう。

第2章　フェイクニュースに操られる世界

下院議長を「酔っぱらい」にした動画

19年1月、民主党のナンシー・ペロシ（Nancy Pelosi）議員が、アメリカの下院議長に就任した。同年5月24日、トランプ大統領は彼女の動画をツイッターで紹介している。[*7]

この動画を見ると、ナンシー・ペロシ議長が酔っぱらってろれつが回らず、言い間違えたりつっかえたりしているように見える。動画は驚きをもって受け止められ、ただちに多くの視聴者に拡散された。トランプの書きこみを見ると、６４０万回以上も再生されていることがわかる（20年3月現在）。ところがこの動画は、たちの悪いフェイクニュースだったのだ。

まず、実際にしゃべっているスピードの75％の速さまで、音声を遅く間延びさせている。そのうえで音声に調整を施し、ろれつが回らないかのようにスピーチを改編したのだ。

おそらく誰かがパソコンの編集ソフトを使って、言葉の一部を長く再生させたり調整したのだろう。ＤＪがやるように、ある部分がちょっとだけ長く冗長に聞こえるようにしたり、反対に別の部分は短くする。そうした処理を施すだけで、視聴者が受ける印象はまったく変わってくる。

この動画はあまりにも上手に加工されているので、普通の人が見てもそれがフェイクだとはわからない。しかしオリジナルのビデオと比較すると、違いは一目瞭然だ。ワシントン・ポスト（19年5月23日“Pelosi videos manipulated to make her appear drunk are being shared on social media”）がわかりやすく分析して動画で解説しているので、傍注のＵＲＬにアクセスしてみてほしい。[*8]

＊7　https://twitter.com/realDonaldTrump/status/1131728912835383300

NYタイムズ（19年5月24日 "Distorted Videos of Nancy Pelosi Spread on Facebook and Twitter, Helped by Trump"）の動画も参考になる。[*9]

動画を編集する技術はとても進んでいるため、専門家が注意深く検証しなければ、それが本物か偽物か判断できない。普通の目ではとてもわからないほど、フェイク動画は実に巧妙に作られる。普通の人は簡単に見破ることができないから、ディープ・フェイクと呼ばれるようになった。本物かどうかの見極めはまさにプロの仕事であり、ワシントン・ポストやNYタイムズといった報道機関が多くの動画を検証するようになった。

ナンシー・ペロシ議長をめぐる一件は、「フェイクニュースを作る技術はここまで進んでいるのか」「見分けがつかない動画をこんなに簡単に作ることができるのか」と、けたたましく鳴る目覚まし時計のように人々を驚かせた。こういうフェイクニュースを共和党支持者が作り、トランプ大統領が自ら拡散したのだ。

反対に、民主党陣営が共和党をおとしめるために、トランプのイメージダウンを図るフェイクニュースを作ったこともある。20年のアメリカ大統領選挙で、両陣営からフェイクニュースが大量にバラまかれる可能性もある。日本も他人事ではない。フェイクニュースが政治的に利用され、選挙の結果にまで影響を及ぼす。実に恐ろしい時代だ。

新聞をきちんと読んだり、ニュースを日常的に見たりしない人は、ワシントン・ポストやＮＹタイムズといったメディアによる検証報道に目が届かず、フェイクだと気づかないままコロッと騙されてしまうかもしれない。「へえ、すごいね。こんな要職に就いている人が酔っぱらっているのか」と、深く考えないまま鵜呑みにする危険があるのだ。

「トランプ応援団」ＦＯＸニュース

バラク・オバマ前大統領について「彼はアメリカ生まれではない」と主張する有名なフェイクニュースがある。オバマがアメリカで生まれた何らかの証拠を見つければ話はもう終わりだ。しかしトランプは基本的事実をきちんと確認することなく、この低レベルなウソを拡散した（詳しくは後述）。

16年の大統領選挙中には、「ヒラリー・クリントンは病気を隠している」というフェイクニュースも流された。選挙期間中に、ＦＯＸニュースまでこれを報じたのは問題だった。

＊8　https://www.youtube.com/watch?v=sDOo5nDJwgA&t=12s
＊9　https://www.nytimes.com/2019/05/24/us/politics/pelosi-doctored-video.html

民主党のジョー・バイデンは、20年の大統領選挙に挑戦している。彼についても「本当は病気だがその事実を隠している」というデマがネットで流れ、ＦＯＸニュースもそれに応じた。ＦＯＸニュースは、またしても同じ手法でフェイクを流布し、大統領選挙がトランプに有利になるよう仕向けているのだ。誰かが勝手に作ったウソを、トランプ応援団のＦＯＸニュースはこれ幸いと利用する。

問題はフェイスブックやツイッター、ユーチューブの対応だ。第三者が分析して「これはフェイクだ」と判明しても、ＳＮＳやユーチューブはその書きこみや動画をなかなか消そうとはしない。「言論の自由と表現の自由の範囲内だ」という建前を振りかざし、フェイクニュースを放置し続ける。

彼らの腹の中にある本音は何なのだろう。自分たちがコンテンツの責任をいちいち取り始めれば、終わりのない仕事に足を突っこむことになる。１人に謝罪し、賠償金を払い始めたら、ほかの人からもクレームが大量に殺到して収拾がつかなくなる。それが嫌だから、問題の動画を放置してクレームは無視し、自分たちで責任を取ろうとしないのだ。

でも「言論の自由と表現の自由の範囲内だ」という言い訳は、いつまでも通用しないだろう。無責任な居直りをあらため、誤った書きこみや投稿には毅然と対応する。そうしなければ、ＳＮＳやユーチューブはプラットフォームとしての信頼性を失い、やがてユーザーは離れていくはずだ。

「リアリティTV」と化したホワイトハウス

第１章で述べたとおり、ＮＹタイムズはトランプのおかげで部数を大きく伸ばして復活した。トランプが記者会見で今日何を言ったのか。ツイッターで何を言ったのか。彼の発言のどこがウソであり、何が問題なのか。みんなそこを知りたがっている。

アメリカ人にとって、トランプの言動はどのテレビドラマよりもおもしろい。トランプがムチャクチャな暴言を連発するせいで、皮肉にもテレビはつまらなくなってしまった。今やホワイトハウスが、一番おもしろい「リアリティＴＶ」なのだ。

自民党一党支配が長く続く日本では、アメリカのようなメディアの動きは見られない。安倍政権による問題が次々と発覚しているのに、ＴＢＳや朝日新聞、東京新聞を除いて新聞もテレビも徹底抗戦して調査報道を繰り広げようとはしない。長い自民党一党支配に屈して、アクセス・ジャーナリズムに依拠したつまらないニュースばかりを流している。しかし同時に日本社会は、今が大きな変革の時期だと思う。

16年、トランプが大統領選挙で勝利すると、安倍晋三首相は世界の指導者の誰よりも早くアメリカへ飛んで会いに行った。以来、彼らは「ドナルド」「シンゾー」とファーストネームで呼び合う蜜月関係を築いている。

だが、日本とアメリカの関係が、今までとまったく同じように維持されるとは限らない。気まぐれのトランプが、突然大きな方針転換をする可能性はいくらでもある。トランプのアメリカに、日本はずっとこのままついていくのだろうか。

20年11月のアメリカ大統領選挙でトランプが当選すれば、あの世界を騒がせるスタイルの政治は2期目の任期満了（２０２５年1月）まで続くことになる。習近平《シー・ジンピン》国家主席の中国はますます影響力を増し、東アジアの地政学は予測不能だ。大きな変動が続く時代だからこそ、日本のメディアが果たす役割はきっとあるはずだと思う。

フェイクニュース・マスター

トランプが偽情報を拡散するやり方は、実に巧妙だ。まるで映画『スター・ウォーズ』に出てくるヨーダ（ジェダイ騎士団を統括するグランドマスター）のような、フェイクニュースの名人だと思う。

彼が操るパターンは以下のようなものだ。

①事実関係を無視した問題の提示。支持者に「どうもアヤシイ」「これは深刻だ」という「疑惑」をかき立てる。

②「疑惑」を何度も繰り返し口にする。

③「疑惑」のディテールを曖昧にする。

④「疑惑」を検証せず、「疑惑なるものは存在しない」という答えは絶対に明かさない。

⑤真実ではない風聞を煽《あお》って、敵と見なした相手を徹底的に攻撃する。

彼は「ＣＮＮがフェイクニュースを流していると言ってるヤツがいるようだな」「ＮＹタイムズが変なニュースを流してると聞いたぞ」といったように、「××と言われている」式の表現で他人の口を借りて疑問を提示する。しかしほとんどの場合、前提条件そのものが完全にフェイクだったりするわけだ。彼が何かについて大騒ぎするとき、ファクトを冷静に示すことはない。

ヒラリー・クリントンのメール問題についてもそうだった。ヒラリーがオバマ政権で国務長官を務めていたときに、サーバーにあった3万通のメールが消されたことは間違いない。
そのメールにどういう中身が含まれているのか何も情報をもっていないのに、トランプは「クリントンは海外と通じた不正な人間関係を隠している」といったヒントを何度も匂わせ、ヒラリー陣営のイメージ悪化に努めた。

具体的なファクトを何も示さず、いろいろな形で何度も何度も疑いだけを繰り返し示す。ファクトが何であるかについては、曖昧なまま放っておく。

具体的な情報について真偽を問われれば、ヒラリー側はファクトを確認して答えることができる。「NO」と結論づけられればゲームは終わりだ。だからトランプは、なるべく具体性のない情報を武器として使い、ゲームの時間をできるだけ延ばそうとする。

漠然とした情報、風聞の類《たぐい》を突きつけられたところで、ヒラリーとしてははっきり否定しようがない。「宇宙にUFOや異星人は存在しない」とは誰も断言できないように、「100%潔白だと言い切れ」と迫るやり方は「悪魔の証明」だ。

ロシアが仕掛けたヒラリー妨害工作

トランプとヒラリー・クリントンが戦った大統領選挙で、ロシア政府は意図的にフェイクニュースを流して選挙を大混乱させた。選挙でトランプが勝てばアメリカは混乱に陥り、国力が弱体化するとロシアは計算した。偽情報により民主党支持者にヒラリーを見限らせ、彼女に投票しないよう仕向けたのだ。

アメリカ上院議会はサイバー・セキュリティ会社New Knowledgeとイギリスのオックスフォード大学に依頼して、ロシアがフェイクニュースに関与した事実を突き止めている。

上院が発表した報告書には、ロシアの会社が「民主党は黒人のことなんて全然気にしていな

ロシアがフェイスブックで流したフェイクニュース。「ヒラリー・クリントンは、オバマの反警察・反憲法プロパガンダの共著者である」（上）、「正義と平等のために立ち上がる黒人の男女ブラックパンサー党は、米政府により解体された」（下）

い」とか「民主党は本当は人種差別の政党だ」といったフェイクニュースを流し、民主党支持派の黒人が投票したくなくなるよう誘導したと書かれている。

「ヒラリー・クリントンがＫＫＫ（クー・クラックス・クラン＝アメリカで黒人差別を先導する白人至上主義者）から2万ドルをもらった」というフェイクニュースもそうだ。

こうしたフェイクニュースを流すとき、ロシアが使ったのはツイッターやフェイスブックだけではない。Reddit、Google+（グーグルプラス）、Vine（ヴァイン）、Gab（ギャブ）、Meetup（ミートアップ）、Pinterest（ピンタレスト）、Tumblr（タンブラー）など、マイナーなものまで含めてあらゆるソーシャル・メディアが使われた。

オールド・メディアへの回帰

前出の報告書によると、ロシアがフェイスブックで流したフェイクニュースへのエンゲージメントは７６５０万件だった。エンゲージメントとは、ただ単に投稿を読むだけでなく、コメントをつけたり「いいね！」を押したり、ユーザーが何らかの反応を示したことをあらわす。

インスタグラムでは、ロシアが流したフェイクニュースに１億８７００万件ものエンゲージメントがあった。フェイスブックの2倍以上だ。この事実は、インスタグラムというプラットフォームとフェイクニュースの親和性が高いことを如実に示す。

大統領選挙で大量のフェイクニュースが流れたせいで、フェイスブックはアメリカでブランドイメージを損なった。「信頼性が低い」と判断したユーザーは、フェイスブックというプラットフォームを経由せず、ＮＹタイムズや独立系ニュースメディアAxios（アクシオス）のアプリに直接飛び、情報にアクセスするようになった。フェイスブックによって情報にバイアス（偏り）がかけられたり、ウソの情報をつかまされることを怖れているのだ。

ＳＮＳがプラットフォームとしての信用を失い、新聞社のような旧来型のオールド・メディアが支持を取り戻す。こういう回帰現象が起きているのは興味深い。

なおネットフリックスでは、『グレート・ハック　ＳＮＳ史上最悪のスキャンダル』（原題“The Great Hack”）というドキュメンタリー映画が公開されている。フェイスブックとCambridge Analytica（ケンブリッジ・アナリティカ）というデータ関連企業がBrexit（ブレグジット：イギリスのＥＵ離脱）やアメリカ大統領選挙で展開した、とんでもない策謀を明かす映画だ。ホワイトハウスで首席戦略官を務めたスティーブン・バノンは、この会社が作った情報を使ってフェイクニュースを流していた。

「プロパガンダ製造機」「デジタル・ギャングスター」とも言うべきフェイスブックの側面に驚愕する。興味がある読者は視聴してみてほしい。

トランプのフェイク集

16年の大統領選挙で、トランプはいくつものとんでもないフェイクニュースを宣伝戦に利用した。代表例をいくつかご紹介しよう。

まず、前でも触れた「オバマはアメリカで生まれていない」という虚構だ。このフェイクニュースを信じる人は、birth（誕生、生まれ）の派生語として birther と呼ばれる。この話が完全にフェイクであることは、オバマ自身が出生証明書を示すことによって判明した。

次に、「民主党は移民をたくさん使って得票数を操作した」というウソだ。選挙で負けたときに言い訳がほしかったから、こういうウソをついたのだろう。ホワイトハウスでは、真相を解明するための調査チームまで作られた。だがそのチームはまともに稼働していない。こんなものは、誰が調べてもウソだとすぐにわかる。だから調査チームは本気で動こうとしないのだろう。

3つ目は、「ヒラリー陣営の民主党は私のスマートフォンを盗聴している」と繰り返したこと。その証拠は何もない。大統領になったのだから、事実を調べようと思えば簡単にできる。なのに彼は自称、盗聴疑惑とやらを調べようとはしない。たちが悪いウソだから、事実かどうかなんて確かめようがないのだ。

４つ目は、「ＦＢＩ（連邦捜査局）はじめ、アメリカの機関がみんな私の統治に反対している」という言説だ。これまた具体性がまったく伴っていない。

５つ目は、ヒラリー・クリントンのメール問題をめぐる「ヒラリーは法律に違反した」とか「あいつは犯罪者だ」といった発言だ。こういうことを平気で言うものの、どの法を破ったのか、何の犯罪なのか明確な説明はない。

トランプが妙なことを言い始めたときには、前提条件やファクトの有無に注意して、内容を冷静に見極めてほしい。

傍注に示したＵＲＬにアクセスすると、大統領選挙戦の際に広がったフェイクニュースの事例がわかりやすくまとめられている。「Misinformation Attacks During the July 2019 Presidential Debates」というキーワードで検索すると見つかると思うので、こちらの記事も参考にしてみてほしい。[*10]

ステレオタイプは記憶に残りやすい

ウォール・ストリート・ジャーナルの報告によると、20年大統領選挙の候補者にもなっているピート・ブティジェッジ（Pete Buttigieg）が、フェイクニュースで犯罪者に仕立てられたそうだ。インディアナ州のサウスベンド市という自治体で市長を務める彼は、自分がゲイであることをカミングアウトして男性と結婚した。その彼が性犯罪を起こしたというデマが拡散されたのだ。

「ピート・ブティジェッジはゲイである」という事実の中に、「彼は性犯罪者である」というウソを混ぜこむ。ゲイに対しては、「男の子をねらった小児性犯罪を起こす可能性がある」といったステレオタイプが一部に存在する。その偏見を利用して、悪質な偽情報が流されたのである。

彼が性犯罪などを起こした事実はない。だがこういう噂が広がると、人は「火のないところに煙は立たない」「根も葉もないとは言い切れないのではないか」「この人は信頼できない」と疑念をもってしまう。それこそがフェイクの作り手の狙いだ。

民主党の下院議員を務めるベト・オルーク（Beto O'Rourke）についても、フェイクニュースが流されている。彼はラテン系やアフリカ系をはじめあらゆるバックグラウンドの人々の権利を尊重し、多様性を支持する政治家だ。だから地元のテキサスではとても人気がある。

その彼に関して、「ベト・オルークは90年代、人種差別的なメッセージを留守番電話に吹きこんだ」という完全なでっち上げが巷《ちまた》に広がった。皮肉にもこういうバカバカしい情報こそ、人々の記憶に強く残りやすい。

民主党の上院議員を務めるカーマラ・ハリス（Kamala Harris）もデマ攻撃にさらされた。彼女のお父さんは黒人、お母さんがインド人であることは事実だ。それを曲解し、「カーマラはアメリカで生まれていない」というウソを織り込んだ情報が流されたのだ。

「カーマラ・ハリスは黒人のフリをして有色人種から支持を集めているが、彼女はハーフだから黒人ではない」とか、「外国生まれのインチキアメリカ人だ」というステレオタイプの言い方で、イメージダウンが図られた。オバマ大統領をバッシングしたときと同じ手法により、差別的で感情的な言説が拡散されたのである。

＊10　https://medium.com/@nir_69150/misinformation-attacks-during-the-july-2019-presidential-debates-3c4a209ccfbf

悲劇一歩前の「ピザゲート事件」

同じく先の大統領選挙では、「ピザゲート（Pizzagate）事件」と呼ばれるくだらないフェイクニュースも流れた。とはいえ、一歩間違えればとんでもない悲劇になりかねなかった事件だ。

16年11月、ヒラリー・クリントンの選挙対策責任者を務めていたジョン・ポデスタ(John Podesta)のメールがハッキングされ、彼のメッセージがウィキリークスに公開された。その中に、彼がピザ屋のオーナーに「ヒラリーの資金集めイベントを開くことは可能か」と尋ねる一文があったのだ。

「2ちゃんねる」からヒントを得てアメリカで開設された「4chan」という掲示板に、ピザ屋とヒラリーの関係性を匂わせるデタラメな陰謀論が書きこまれ始める。最初は誰かが意図的にバカげた話を作って、その噂がどれだけ広がるかふざけて試したのだろう。

「こういうストーリーならどうか」「これはウケなかった」「ならば、ちょっと違うストーリーにしてみよう」「そうだ、児童売買だ！」と試行錯誤した結果、「ヒラリーがピザ屋で組織的に児童売買をやっている」という言説が生まれた。これを、共和党支持者がＳＮＳで一気に広げたのだ。

そして16年12月、義憤に駆られた28歳の男がピザ屋に押し入り、銃を乱射。幸いスタッフや客は誰もケガすることなく、男は逮捕された。人間とはこんなに愚かなものかと呆れる。ケーブルテレビでヒストリー・チャンネルをつけると、「古代宇宙人が存在した！」というトンデモ番組を流していたりする。そういう話は、眉に唾をつけておもしろおかしく聞き流すものだ。なのに男はフェイクニュースを本気で信じ、敵を殺そうと銃を手にした。

アメリカでは、スキャンダルや事件が起きるとよく「ウォーターゲート事件」に引っかけて「××ゲート」と名づける。この銃乱射事件は、フェイクニュースの暴走例として「ピザゲート事件」と呼ばれるようになった。

フェイクニュースの３つのパターン

16年と、この20年の大統領選挙の大きな違いは何か。前回、トランプは民主党のヒラリー・クリントン陣営を徹底的に攻撃した。２期目をねらう今回は、トランプは国内のメディアを徹底的に非難し、記者を標的にしている。彼を支持してくれる右派の有権者に媚《こ》びるため、メディアの信頼性そのものを破壊しようとしているのだ。

「これは記者のデッチ上げだ」と記者の信用を貶《おとし》める。あるいはトランプ支持者がウソの情報をわざとリークし、記者に真実だと信じさせる。記者が騙されて記事に取り上げてくれれば、発信者にとっては大きな勝利だ。こうしたトランプ陣営の手法をよく知るジャーナリストは、どうすれば彼に対抗できるのか、サイバー調査隊のようにみんなで対策を考えている。

フェイクニュースの作り方は以下の３つに分けられる。

①偽造（Forgery）　トロールと呼ばれるネット上の荒らし屋は、最新の技術を駆使し、証拠が実在するかのようなインチキ情報をデッチ上げる。プロが見ても、一目ではとても区別がつかない。最悪の場合、プロのジャーナリストもこのウソに騙されてしまう。

②証拠のコラージュ（Evidence collaging）　トロールは正しい情報とウソの情報を巧妙に組み合わせる。「正しい情報だ」と納得したものは、ウソが混じりこんでいてもなかなか気がつかない。情報リテラシーが足りない人は結果的に誤った認識を抱いてしまう。

③キーワード（Keywords）　短いスローガンや耳触りが良いキャッチフレーズは、すっと心に入りこみやすい。その原理をうまく利用して、発信者は長い説明を避け、なるべく短

い言い方を考える。そして「ボット」（bot＝コンピュータのプログラムによって稼働する架空のアカウント）と呼ばれるＳＮＳのアカウントを使い、相手を貶めるための言い回しを自動的に繰り返し投稿する。

トーマス・ジェファーソンとトランプの共通点

１７７６年7月4日、アメリカ独立宣言が採択された。トーマス・ジェファーソンは宣言文を起草した人物の一人だ。彼の人物像は、「報道の自由を守った」「とても穏やかで立派な性格だった」と伝えられている。

１７８７年、彼は在フランス公使として務めていた。イギリスに対抗するため、当時のフランスはアメリカをサポートしている。だから、アメリカから派遣されるフランス公使は重要な役割を担っていた。そのころジェファーソンは、祖国の政治家に向けて次のような手紙を書いている。

〈Were it left to me to decide whether we should have a government without newspapers, or newspapers without a government, I should not hesitate a moment to prefer the latter. But I should mean that every man should receive those papers and be capable of reading them.〉

やや古風な表現がなされているが、かいつまんで説明すると次のような意味だ。

「新聞がない政府と、政府がない新聞とどちらが望ましいか。私は後者を選ぶことに一瞬たりとも躊躇《ちゅうちょ》しない。すべての人は新聞を読むべきであり、その読解力が必要だ」

ところが、その彼の考えは次第に変化していく。黎明《れいめい》期のアメリカの政界は、トーマス・ジェファーソンとジェームズ・マディソンが率いる民主共和党（Democratic-Republican Party）、そしてアレクサンダー・ハミルトンとジョン・アダムズが率いる連邦党（Federalist Party）の２つに割れていた。

すると新聞は、民主共和党か連邦党のいずれかを支持して論調を形成し、パルチザン闘争のように相手を攻撃するようになる。新聞は政争の具として使われ、今日よりはるかに悪質な個人攻撃がなされていった。

ジェファーソン支持派の新聞は、ハミルトンを激しく攻撃した。反対陣営に対する新聞のネガティブ・キャンペーンがあまりにひどくなると、１７９８年、連邦党は「治安法」を制定する。これは、大統領や他の議員に対して虚偽や悪意のある文書の出版を罰するものだ。この法律は、１８００年の大統領選挙においてジェファーソン派の新聞を攻撃するために利用された。アダムズ大統領を非難したかどで新聞の編集者やオーナーは訴追されたのである（当時は「記者」は存在しなかった）。

ジェファーソンは治安法に反対した。この法律で発言の自由を封じ込めることにより、アメリカを強力な王を戴《いただ》くイギリスのシステムに戻そうとしていると、ジェファーソンは見ていたからだ。結果、アメリカ国民はジェファーソンに耳を傾け、次の大統領に選んだのである。

ジェファーソンは１８０１年に大統領に就任すると、治安法の下、有罪となった全ての人に恩赦を与えた。しかし、やがて新聞が彼の政治に疑問を投げかけるようになると、２００年後のトランプを上回る勢いで新聞を批判し始める。１８０７年に彼は、〈Nothing can now be believed which is seen in a newspaper. Truth itself becomes suspicious by being put into that polluted vehicle.〉（新聞に書いてあることは何も信用できない。汚れた乗り物に乗せられると、真実は怪しいものへと変わる）という不穏な文章を記している。

１８１５年には、次のようなことも書いた。〈A truth now and then projecting into the ocean of newspaper lies, serves like headlands to correct our course. Indeed, my skepticism as to everything I see in a newspaper, makes me indifferent whether I ever see one.〉。「新聞というウソの海の中で真実は私たちを正しく導いてくれる。私は新聞に対してこれほど懐疑的だから、今後新聞を見ても見なくても関係ない」などと、彼は新聞への不信感をあらわにする。

２００年後に誕生したトランプ大統領は、ツイッターでこんなことを叫ぶ。

〈FAKE NEWS media, which makes up stories and "sources."〉（フェイクニュースメディアは、ストーリーと情報源を作り上げる／２０１７年2月16日）

〈The FAKE NEWS media (failing @nytimes, @NBCNews, @ABC, @CBS, @CNN) is not my enemy, it is the enemy of the American People!〉（ＮＹタイムズやＮＢＣニュース、ＡＢＣやＣＢＳ、ＣＮＮといったフェイクニュースメディアは私の敵ではない。アメリカ市民の敵なのだ！／２０１７年2月18日）

ジェファーソンの新聞叩きとトランプのツイートは、言い方がとてもよく似ている。トランプのツイートを、ジェファーソン式の古い英語で書き直してパロディにすればきっとおもしろいだろう。

言葉の〝魔術師〟

トランプがトーマス・ジェファーソンに関する古い本を読み、歴史的な流れを踏まえてツイートしているのだとすれば恐ろしい。おそらく彼はそんなことは知らず、本能的に発言していると思うが。

彼の代名詞とも言える〝Make America Great Again.〟というキャッチフレーズも、ずいぶんと歴史が長い。これは第2次世界大戦前から使われてきたフレーズだ。人を煽るとき、アメリカではこのフレーズがよく使われる。

〝lynch〟（リンチ、私刑）も昔からある言い方だ。アメリカ下院議会から弾劾《だんがい》調査を受けると、窮地《きゆうち》に立ったトランプは〝lynch〟という言葉を意識的に使って下院議会を非難した。アメリカには、黒人に対する差別や拷問、虐殺をしてきた苦い歴史がある。この単語は、その過去を否応なしに想起させる。こういう嫌な言葉を使って、彼は人の気持ちを動かそうとするのだ。

トランプは、悪い意味で言葉の使い方が抜群にうまい。彼が一つの言葉を発すると、聴衆の頭の中ではいろいろなイメージが浮かぶ。そうやって彼の思い描くストーリーを感情に訴えるのが特技だ。

たとえば、選挙戦で彼は“Defeat Crooked Hillary”（ひん曲がったヒラリーを倒す）というネガティブ・キャンペーンを張った。“Crooked”という言葉には、「ひん曲がった」という意味だけでなく「不正だらけ」「腐敗しきっている」「犯罪者のような」といったさまざまなニュアンスがこめられている。日本語で言う「バカ」とか「マヌケ」に等しい。“Crooked Hillary”という短い言葉で、ヒラリー・クリントンの70年の人生を否定する。彼女の人格そのものを貶めるのだ。

またトランプは、オバマ政権で副大統領を務めたジョー・バイデンに対しても“Sleepy Joe Biden”という言い方で攻撃した。“Sleepy”（眠たい）という一言に「老いぼれ」「半分目が閉じている」「政治家として無能」という意味を込め、70代の彼の人格を否定しているのだ。

“Little Marco Rubio”という言い方もひどかった。16年、マルコ・ルビオは共和党の予備選挙に出馬してトランプと戦っている。トランプは身長が１９０センチもあって、体がとても大きい。かたやマルコ・ルビオは、トランプに比べるとだいぶ体格が小さい。その身体的特徴をバカにして、相手をたった一言で叩き潰すのだ。

しかし、こういうひどい言い方を有権者は好む。人間の心には、多かれ少なかれルサンチマン（恨み）や心配事、偏った価値観が潜む。そうした負の感情をうまく利用して、トランプは自分を支持するように誘導しているのだ。

ツイッターには1回の投稿で280字（英語）までしか書きこめない制限があるから、つい人は感情的になって、なるべく強い言葉を使いがちになる。それを悪用して扇動しているのが現大統領なのだ。

なぜヒラリー・クリントンが"Crooked"なのか、トランプの物言いに論理的な説明はないし、議論する姿勢も全然ない。前提が抜け落ちた状態で、彼の言葉は有権者の気持ちに直接ぶち当たるのだ。

かつてのアメリカでは、政治家がトランプのように乱暴なことを言えば大問題になった。しかし彼の登場によって、一国のリーダーが暴言を吐いて人を傷つけても、誰も驚かなくなってしまった。不幸なことに、トランプのような大統領が存在することが非常識ではなく、当たり前の世の中になってしまったのだ。

タイムラインを埋め尽くすトランプのつぶやき

トランプは、まさにソーシャル・メディアの達人だ。好き嫌いが大きく分かれ、大勢の人が嫌うということも、皮肉なことにトランプの強みとなる。大衆の嫌悪をレバレッジ（てこ）として、支持者たちをさらに熱烈に煽るのだ。

アメリカのニュースサイト「アクシオス」（19年11月2日）が作成したチャートを紹介しよう。これを見ると、トランプがウェブ上でいかに圧倒的な影響力をもっているかが一目でわかる。

ソーシャル・メディアに出てくるトランプについての投稿は、1週間でほぼ4690万件にのぼる。1カ月ではなく、たった1週間でこれほど大量の投稿がなされているのだ。

2番手以降には民主党候補が並ぶ。ジョー・バイデン（オバマ政権の副大統領）は260万件、つまりトランプのたった5％だ。バーニー・サンダースはあんなに注目されているのに、190万件の書きこみしかない。1週間に190万件であれば全然悪くない数字のはずだが、トランプに関する書きこみの数があまりに圧倒的に多いので、サンダースについての投稿はかすんでしまう。

Total interactions for week ending October 27, 2019

CANDIDATE RANK THIS WEEK		WEEKLY RANK SINCE JAN. 7	1-WEEK TOTAL	CHANGE IN RANK
#1	Donald Trump		46.9m	--
#2	Joe Biden		2.6m	↗ 1
#3	Bernie Sanders		1.9m	↘ 1
#4	Elizabeth Warren		1.6m	↗ 1
#5	Tulsi Gabbard		1.0m	↘ 1
#6	Kamala Harris		508.3k	↗ 1
#7	Beto O'Rourke		423.4k	↘ 1
#8	Pete Buttigieg		389.8k	↗ 1
#9	Cory Booker		118.8k	↘ 1
#10	Amy Klobuchar		91.7k	↗ 2

19年10月21～27日に大統領各候補について書かれた記事に対し、ソーシャル・メディア上で一般ユーザーの反応（リツイート、シェア、「いいね！」など）が多かったトップ10。4690万回のトランプが、2位で260万回のジョー・バイデンを圧倒的に引き離している（m＝百万、k＝千。米ニュースサイト「アクシオス」発表）

とにかく嫌われることが、トランプの強みとなる。ソーシャル・メディアではみんなが刺激を求めている。「好きだ」「嫌いだ」という二極化の世界に、トランプの性格はピッタリ合う。ゼロか100%か。そういう極端な世界に相応《ふさわ》しい存在であることを自覚しているから、トランプは思いどおりにツイッターを使いこなす。

先の大統領選挙では、ソーシャル・メディアで扇動されたトランプ支持者が勇んで投票所に出かけた。民主党の対抗馬が同じ方法で支持者の動員に成功すれば、トランプの分は悪い。

　有権者全体を見ると、トランプを支持する総数は４割もいない。投票しなかった有権者が多かったために、結果的にトランプは選挙に勝ってしまったのだ。みんなが「トランプ流の政治には反対だ」と声を上げて投票所に出かければ、彼は選挙に負けて退陣する。メディアとトランプ、有権者とトランプによる一進一退の攻防戦が、２０２０年のアメリカで繰り広げられている。

第3章　中国が仕掛ける情報戦

中国の禁句「くまのプーさん」

中国共産党が一党独裁体制を敷く中国本土では、サイバー・セキュリティや検閲が徹底的に行なわれている。グーグルやツイッター、フェイスブック、ユーチューブ、ＬＩＮＥなど自由主義陣営が作ったサービスは中国では基本的に使えない。中国でネットを自由に使いたければ、ＶＰＮ（Virtual Private Network）サーバーを経由してネットにアクセスするといった裏技が必要だ。

かわりに中国では、国内のIT企業が作った検索サービス「百度」（バイドゥ）や、「微博」（ウェイボー）、「微信」（ウィーチャット）といったSNSを使わなければならない。これらのサービスで交わされるキーワードやメッセージ、動画は、「金盾」（Great Firewall＝グレート・ファイアウォール）と呼ばれるシステムによってすべて監視されている。有名な禁句は「くまのプーさん」だ。

13年3月に習近平が国家主席に就任すると、外見が「くまのプーさん」に似ていることが中国のネット上で話題になった。それ以来、中国で「プーさん」に触れるのはタブーとされている。「プーさん」の映像や写真が投稿された瞬間、SNSの運営会社はただちに削除しなければならない。だから中国国内では、いくら検索をかけてもネット上で「プーさん」を見ることができない。

習体制に批判的な人は、動物のクマの話をしているフリをしたり、言葉を換えて風刺表現を試みる。しかしイタチごっこのように、当局は「このシンボルはこういう意味があるのか、では国内での使用を禁止しよう」というふうに情報を常にアップデートして、検閲を強める。

18年3月、中国は憲法を改正して国家主席の任期（2期10年）を廃止した。これにより習主席は生きている限りその座に就くことが可能になったため、中国のＳＮＳでは「終身制」という言葉を使った投稿まで禁止されている。一党独裁体制に異を唱える意見は、中国ではまったく口にすることが許されない。ソーシャル・メディアでの言論の自由がないのだ。

それは中国を訪れる人も例外ではない。たとえばＫ‐ＰＯＰのアーティストが中国に行ってコンサートを開くとしよう。主催者は、アーティストがどの曲をどういう順番で歌うか、当局にすべて事前に報告する義務がある。報告したものと違う曲を歌ったり、別の内容の言葉をステージの上で話すと、韓国のスターによる公演そのものが要注意と見なされる。政治的な発言はもちろん、予定されていない内容をアドリブで口にすることも許されないのだ。

中国国内をあちこち巡回しながら、コンサートを10回開くとしよう。１回２回のコンサートだけでなく、すべての公演が当局のチェックを受ける。中国のルールに従わなければ、コンサートを自由に開くことすらできない。それが中国の断固たる態度だ。

かたや韓国は自由な国だから、韓流スターはそうした中国のやり方に反発する。実際、過去に事前に伝えていなかった曲を歌ったグループがいたため、現在の中国ではＫ‐ＰＯＰはほとんど流通していない。自由主義国家では当たり前のことが、あの国では厳禁なのだ。

北京で２００万人の「サイバー監視員」

13年、中国共産党中央宣伝部（China's propaganda department）の責任者が、にわかには信じがたい数字を発表した。北京だけで、なんと２００万人以上もの監視員が「微博」などのＳＮＳやネット上の書きこみをチェックしているというのだ。もちろん人口14億人の国だけに検閲のための人員がこれだけいても不思議ではないが、驚くべき数だ。

ＮＹタイムズは、そのうちの１人にインタビューすることに成功した[*11]（19年１月２日“Learning China's Forbidden History, So They Can Censor It”）。その人は、北京にあるBeyondsoft（博彦科技）というＩＴ企業でパートタイマーとして働いている。Beyondsoftは中国政府の下請けとして仕事をする検閲専門会社だ。

検閲の従事者たちは、職場に自分のスマートフォンをもちこむことが禁止される。入り口を通るとロッカーがあり、私物はそこにしまわなければならない。スマートフォンのカメラ機能で、内部の写真を撮られることを阻止するためだ。中で何が行なわれているのか、写真

＊11　https://www.nytimes.com/2019/01/02/business/china-internet-censor.html

や動画による情報は外部に漏れない。まるで病原菌やウイルスの流出を防ぐように慎重に情報保全に努める。

今の若い世代には、１９８９年６月４日に起きた天安門事件についてまったく知らない人もいる。「天安門」「六四」といったキーワードが要注意であることなどを研修で学びながら、人海戦術によってどんどん検閲を進めていく。勤務時間は１日６時間あり、１カ月３５０ドル（３万８０００円）から５００ドル（５万４７００円）の賃金が支払われるそうだ。

シフトは交替制で途切れなく組まれ、ネット上は常に監視されている。問題がある書きこみを見つけたときには、アプリやソーシャル・メディアを運営しているアリババ（Alibaba＝阿里巴巴）やテンセント（Tencent＝騰訊）といった会社に通報する。通報を受けた運営会社は、１時間以内に削除しなければならない。削除が遅れて書きこみが野放しにされると、当局から処罰を受ける。

Beyondsoft はデータベースを作って運営している。同社のウェブサイト[*12]によると、使用が許されないＮＧワードは10万個もある。さらに別の３００万個の言葉について、「もしかしたら変な意味があるかもしれない」と目を光らせている。たとえば「クマさん」とか「クマ」だ。単に動物のクマを指しているだけかもしれないが、使い方によっては先に触れたような政治的意味をもたせることもできる。疑いの目をもって、あやしい言葉を見つけ次第、要注意リストのデータベースに加えているのだ。ポルノや売春、ギャンブルやナイフ（武器）に関連する投稿もチェックされる。

　さすがに人間の目でこれだけ膨大な情報をすべてチェックすることはできない。だから、コンピュータソフトやＡＩを駆使して、キーワードやシンボル、問題になりそうな画像や動画を探していく。

セレブ生活を送る首相の娘もＮＧワード

　中国では毎日８億人もの人々がインターネットを使っている。日々とてつもない数の投稿がなされ、膨大な情報が流れるため、検閲の仕事に終わりはない。

　彼らは中国国内のみならず、海外で中国共産党を批判しているサイトも常にチェックする。中国政府にとって都合の悪いキーワードをどんどんピックアップして、リストに加えていく。

　たとえば中国の元首相である李鵬（Li Peng）の娘・李小琳（Li Xiaolin）の名前は、当

＊12　https://www.beyondsoft.com/

局に批判的な海外のサイトで頻繁に登場する。実業家である彼女は、ド派手なファッションに身を包んで贅沢《ぜいたく》三昧の生活を送り、やりたい放題に浪費していることで有名だ。

　海外で彼女の名前が批判的な文脈で使用されていることがわかると、中国国内でも「李小琳」とか“Li Xiaolin”といった固有名詞を検索していく。その名前と一緒に出てくるイメージやシンボル、写真や画像も細かくチェックする。彼らはそうやって着々と作業を進めていくのだ。

　18年４月、中国政府に属する国家新聞出版広電総局が、ByteDance（バイトダンス）という国内の会社にショートムービーの共有サービスTikTok（ティックトック）を閉鎖するよう命令した。TikTokはアメリカや日本でも若者を中心に人気があり、中国では「内涵段子」(Neihan Duanzi) という名前のアプリが使われている。そうした人気アプリも政府が全部検閲をかけていて、下手をすると潰されてしまうのだ。

　バイトダンスのようなプラットフォーム運営会社というのは、スマートフォンはじめモバイル端末を活用した新しいビジネスを生み出し、中国国外にもＳＮＳやアプリの普及を目指す。いかにも今の新興企業特有の展開をしているが、その裏では旧ソビエト連邦や毛沢東時代の中国と同じ検閲が粛々と行なわれている。言論の自由や表現の自由は認められない。文化大革命時代の残滓と、21世紀的なＩＴベンチャーの両方が混在しているのは興味深い。中国は今、「21世紀版全体主義」を国家を挙げて進めているのだ。

中国政府が世界で繰り広げる情報撹乱

19年9月16日、ロイター通信が“Australia concluded China was behind hack on parliament, political parties”という特ダネ記事を発信した。[*13] 同年5月に行なわれたオーストラリア連邦議会の選挙戦の真っ最中、中国がＳＮＳのアカウントを作り、大量のフェイクニュースを流して選挙を混乱させたというのだ。

オーストラリア政府は、内部調査によってこの事実を解明した。おもしろいことに、政府はその調査結果を隠している。中国との貿易に悪い影響が及ぶことを怖れたからだ。

自国の選挙が他国からジャマされているのに、オーストラリア政府はその事実を国民に正しく伝えようとしない。フェイクニュースによる内政混乱を糾弾することよりも、中国との貿易のほうが重要だということなのだ。政府がそんな隠蔽工作をするとは、実に恐ろしいこ

＊13　https://www.reuters.com/article/us-australia-china-cyber-exclusive-idUSKBN1W00VF

とだと思う。

16年のアメリカ大統領選挙では、ロシアが共和党のトランプ陣営を応援するために、SNSを使ってフェイクニュースをガンガン流した（「ロシアゲート」「ロシア疑惑」）。それと同じことを、中国政府はオーストラリアにもやったのだ。ということは今後、中国政府は日本に対しても間違いなく同じことをやると思う。あるいは、すでに策謀は実行されているかもしれない。

「雨傘運動」をSNSで語るリスク

14年8月、中国の全人代（全国人民代表大会＝国会）は、香港の首長（行政長官）選挙で1人1票を投じることができる普通選挙の導入を決めた。だがこの選挙は、親中派でなければ立候補が認められない。「これは民主的な選挙ではない、普通選挙は有名無実だ」と怒った人々は、14年9月28日から民主化要求デモを開始した。

警察が発射する催涙弾を雨傘で防御したことから、このデモは「雨傘運動」とか「雨傘革命」と呼ばれている。黄之鋒（ジョシュア・ウォン）と周庭（アグネス・チョウ）の2人の若者を中心に運動は盛り上がり、12月にかけて79日間続いた。ネットフリックスのドキュメンタリー『ジョシュア　大国に抗《あらが》った少年』（原題“Joshua Teenager vs. Superpower”）でこのときの様子が描かれているので、興味がある読者は視聴してみてほしい。

あの「雨傘運動」を想起させる民主化闘争が、19年に再び香港で激化した。発端は３月末、香港の議会で提起された「逃亡犯条例」改正案。香港で容疑者として逮捕された人を、中国本土へ引き渡せるようにする「一国二制度」を骨抜きにする条例だ。こんなことが認められれば、「雨傘運動」に参加している人々は難癖をつけられて中国へ送られ、現地で裁判にかけられ刑罰を受けることになってしまう。

19年６月９日には、香港の全人口の７人に１人にあたる１００万人以上もの民衆がデモに参加した。翌週にはデモの参加者は２００万人にまで膨れ上がっている。香港はやむなく「逃亡犯条例」改正案の撤回を決めた。それでもしばらくはデモは収束の兆しが見えなかったが、現在は新型コロナウイルス問題で鎮静化している。

前述のBeyondsoftのような会社がやる仕事は、メディアやネットを監視して、当局が表に出してほしくない情報を消すことばかりではない。ソーシャル・メディアを活用して自ら積極的に新しい投稿を行ない、世論を誘導する。情報操作も彼らの重要な仕事の一部だ。

人間というのは「みんなはこう考えているのだな」と思うと、つい他人の意見に引きずられ、従ってしまう。だからソーシャル・メディアは、世論操作に絶好の道具だ。

ＳＮＳを使った中国政府の画策を、私は身近で感じたことがある。19年、私は自分のツイッターのアカウント（@martfack）を使って、香港で続く反政府デモの動画や情報、ニュースを発信し始めた。すると急に、ネット右翼のような人たちからの批判がドッと押し寄せたのだ。

それらのアカウントの書きこみをさかのぼり、よく見てみると、日本語で書かれていてネット右翼っぽくはある。だがなぜか香港の反政府デモをまったく応援せず、中国政府の立場を守るものがほとんどなのだ。「なぜネット右翼が中国政府の立場を支持するのだろう。これは本当に日本人が作ったアカウントなのか」と怪しく思った。おそらく中国政府の指示によって、ネット右翼の真似をした日本語のアカウントが作られているのだろう。ＳＮＳでフェイクニュースや扇情的なメッセージを流し、見ている人に「えっ、何これ⁉」と混乱を起こすことが彼らの目的なのだ。

厳しい指摘のツイートが、突然一斉に自分のアカウントに押し寄せたら、誰だって「あれ？　ひょっとして私の考えはおかしいのか？」と心が揺れてしまう。冷静になって考えることなく、多量の扇情的メッセージに影響されて意見がブレてしまうかもしれない。少なくとも立て続けに非難のメッセージをぶつけられれば、不愉快な気持ちになる。「香港については触れないでおこう」。１人でも多くの人にそう思わせることができれば、中国政府は目的達成だ。

「あいつらは暴力的な非国民だ」「愛国主義者ではない」「デモ参加者は外国のスパイだ」――当局はデモに参加する人の動機、人格そのものを否定して、信頼を損ねようとする。また、「デモの背後でアメリカ政府が操っている」といったように、わざと曖昧な表現を用いる。たとえば「ＣＩＡが民主派に××万ドルを支給してデモをけしかけた」などと主体や数字を明確にすると、すぐに調べられてウソだとバレてしまうからだ。相手に「ウソとは言い切れない」と思わせる余地を残しておくことがポイントだ。

香港の人たちは、しばしば星条旗（アメリカの国旗）を自由と民主主義のシンボルとして使う。もちろん、みんながみんな星条旗を手にしているわけではない。しかし、当局はその様子を撮った写真をやたらと取り上げ、「見ろ、デモの参加者は親米派だらけじゃないか。この運動は最初からアメリカ寄りの人間が引っ張っているのだ」と訴えるのがお決まりのパターンだ。

本当の情報や写真を少しだけスパイスのように混ぜながら、自らの意図するほうへ世論を引っ張る。信頼性を失わないように、１００％ウソの書きこみはしない。これがフェイクニュース戦術の特徴だ。

中国政府が作った20万個のアカウント

この香港暴動においても「フェイクニュースを流す大量のアカウントがある」という批判を受けたツイッター社は、会社を挙げて調査を開始した。その結果、中国の政府機関が作ったと思しき怪しげなアカウントが20万個もあることを、ツイッター社は認めた。

オーストラリア戦略政策研究所（Australian Strategic Policy Institute）というシンクタンクの報告[*14]によると、ツイッター社が凍結した９４０のアカウントは中国政府の指示によって開設され、２００７年12月から２０１９年5月にかけて３６０万件ものツイートを送信したそうだ。

ツイートには悪質なフェイクニュースも含まれるが、そればかりだとなかなか人目を惹かない。だからポルノや売春、スポーツやK-POPなどの話題を日頃からつぶやき、架空の人格を苦労して作りながらフォロワー数を増やす。そして、香港デモなど攻撃対象が現れたときに、それらを誹謗中傷するツイートを連発するのだ。

オーストラリアの同研究所によると、たとえば@derrickmcnabbxというアカウントの持ち主はアメリカのアトランタで暮らしていると語り、普段は英語で投稿しながらポルノのリンクを張ったりしていた。ところが香港でデモが始まると、書きこみは突然英語から中国語にスイッチする。そしてデモ参加者を非難する書きこみが始まったのだ。

日本のネット右翼の場合、ボットによる自動投稿ではなく、１人の人間が10個以上ものアカウントを手動で操作して多量に投稿する。

私を含め駐日の外国人ジャーナリストの多くは、よくネット右翼から「反日ジャーナリスト」と誹《そし》りを受けることがあるのだが、彼らのやり口はわかりやすい。批判のツイートが１件来たと思ったら、全然違うアカウントから10分後に同じような内容についてのコメントが送られてくる。さらに10〜15分経つと、また別のアカウントからツイートが発信される。ちょっとずつタイムラグを置きながら、複数のアカウントから似たメッセージが発信されるのだ。こういうケースは、同じ人物が１人ですべての作業をやっているとしか思えない。

ネット右翼が手動でツイートする場合、使い分けられるアカウントからの文言は１００％

＊14　https://www.aspi.org.au/report/tweeting-through-great-firewall

同じというわけではない。言葉の端々をちょっとずつ変えていたりするが、メインに使われている単語や言いたいことは同じだからすぐに見当がつく。

中国政府の操作の場合、人間だけでなくマシーンのボットも行なっていると思われる。ボットは自動的にツイートをどんどん出すから、同じ文言がそのまま別のアカウントにコピー・アンド・ペーストされる。

休眠アカウントが乗っ取られる

ＮＹタイムズ[*15]（19年9月18日 "How China Unleashed Twitter Trolls to Discredit Hong Kong's Protesters"）は、@HKpoliticalnew というツイッターのアカウントが、香港に関する悪質なデマの発信元であることを突き止めた。

このアカウントは２０１８年に立ち上げられ、最初は英語でスポーツや、イヌなどのかわいい動画、芸能人のニュースばかりをつぶやいていた。ところが香港の抗議デモが始まった瞬間、急に英語と中国語の２カ国語でまったく違う内容に切り替わる。以下が@HKpoliticalnew のアカウントによるツイートの実例だ。

“Hong Kong independence is a dead end. But there are always people who are vying to go into the fire pit. Pathetic!”

“The United States is funding ‘Hong Kong independence’ and brainwashing deadbeat kids #spieseverywhere #colorrevolution #hongkong”

ここには「アメリカが香港の抗議デモの資金を出している」とか「アメリカが香港のバカな子どもたちを洗脳している」と明確に書いてある。まともに翻訳するのがはばかられる強烈な言葉遣いだ。

「外国政府が作ったフェイクニュースを流すアカウントを放置するのか」と批判されれば、ツイッターやフェイスブック、ユーチューブはプラットフォームとしての信頼性のために動かざるをえない。

だから中国政府が作ったことが明らかなアカウントは次々と取り消され、ユーチューブチャンネルも凍結されている。ツイッターもフェイスブックもユーチューブも中国国内では禁

＊15　https://www.nytimes.com/interactive/2019/09/18/world/asia/hk-twitter.html

止されているから、自由にアクセスできない。どのみち各社は中国ではビジネスにならないのだから、中国政府が主導するアカウントを閉鎖したところで経済的な打撃はない。アメリカ国内で、中国共産党のプロパガンダに利用されていると批判されるほうがよっぽど厄介だ。

　前回の大統領選挙にロシアが介入して、共和党のトランプを後押しした。あのときはフェイスブックをはじめソーシャル・メディアに対する激しい批判が巻き起こった。何か手を打たなければ、当局から規制されると怖れたのだろう。各社は先に動き、自浄能力を働かせたのは良いことだ。

　アメリカの女子高生がもっていたツイッターのアカウント（@emiliya_naum）を、中国が乗っ取ったというケースもある。

　もともと彼女は自分の好きなジャスティン・ビーバーについてツイートしていたり、12年にオバマ大統領が当選したときには、得意のダンスを動画投稿して祝福したりしていた。

　以後、彼女はツイッターを使わなくなり、アカウントをそのまま放っておいた。すると休眠状態だったそのアカウントが、何者かに乗っ取られたのだ。そして19年夏になってから、急に中国語で香港の抗議デモを批判するようになった。かつてのツイートを見ると考えられない変化だ。

使わなくなったＳＮＳのアカウントを削除せずに放置しておくと、こういうおかしなことに巻きこまれるリスクもある。

２つに分かれるネット空間

中国のネット空間とシステムは、政府が外部委託した民間の会社が行なう検閲によって支えられる。その様子を取材したＮＹタイムズの記事を読めば、ファーウェイ（Huawei ＝華為）のような会社がやっていることはますます怪しく見えてくる。

実際に、彼らは中国共産党から命令されれば、自分たちが握るデータと個人情報を何でもかんでも提供しなければならない。アリババやテンセントやファーウェイといった中国を代表する巨大ＩＴ企業は、民間の会社ではあるが、基本的に中国共産党に支配されている準国営企業だ。それらの企業が構築するインターネットのインフラを、中国政府はアフリカやイラン、中東諸国などに輸出しようと画策している。

「ファーウェイは信頼できない」とは言いすぎだと思われるかもしれない。でも中国政府と情報を共有している会社が作るスマートフォンを、買うかどうか躊躇するのは当然だ。

こうした中国式インフラと、私たちが普段享受している自由なネット環境の２種類のシステムが、世界で熾烈《しれつ》な競争を繰り広げているのだ。

皮肉なことに、アイフォーンは中国で生産され、その中に使われる部品も、中国の会社が作っていることが多い。その売上は中国経済全体の何%かを占めるはずだから、中国はアメリカや日本と無暗《むやみ》に敵対したくない。国内では表現の自由を圧迫しながら、現実的な目で世界経済を見る。ここは旧ソビエト連邦と現代中国が異なるポイントだ。

中国資本がハリウッドを変えていく

世界第2位の経済大国となった中国の影響力は映画界においても目立ち始め、ハリウッド進出も珍しくなくなった。２０１９年に『ミッドウェー』（原題“Midway”）というハリウッド映画が公開された。この映画は１９７６年に作られた作品のリメイク版だ。

１９７６年版の『ミッドウェイ』で描かれたサブストーリーは、日系人が戦時中に収容所に入れられた事実をめぐるものだった。あるアメリカ軍パイロットが、日系人女性とつきあっている。パイロットは、恋人とその家族を収容所に入れる母国のために、命をかけて戦わなければならない。パイロットはその葛藤に苦しめられる。

今回作られた『ミッドウェー』には、そうした感情の描写はまったく出てこない。なぜかというと、映画に中国資本が関わっているからだ。

日系人女性の話のかわりに、映画では日本本土への初めての空襲である「ドゥーリットル空襲」の描写が出てくる。１９４２年４月、アメリカ軍はＢ-25爆撃機を飛ばし、日本全国への初めての空襲を行なった。Ｂ-25爆撃機が空母（航空母艦）ホーネットから飛び立ち、東京や横浜、神戸などの主要都市を次々と爆撃したのだ。

空襲のあとに空母に戻れなかった米軍機は、中国に着陸して現地人の助けを求める。映画では、その場面がやけに大きく取り上げられている。パイロットが中国に着くと、抗日ゲリラが集まってくる。「お前たちは何者だ」「日本を爆撃してきたところだ」「おおそうなのか。ならば大歓迎だ。中国はあなたたちの仲間だぞ」という１シーンがある。中国市場で映画を流すために、こういうシーンがわざわざつけ加えられた。

ウォール・ストリート・ジャーナル[*16]（19年11月８日“Hollywood Revisits Battle of Midway—With Backing From China”）の記事では、中国の投資家が取材を受けている。それによると中国の観客は戦争映画が大好きであり、特に日本の負ける話がお気に入りだぞ

＊16　https://www.wsj.com/articles/hollywood-revisits-battle-of-midwaywith-backing-from-china-11573214401

うだ。中国の経済力は、ハリウッドにおいても顕在化し始めている。

　２０１５年に公開されたＳＦ映画『オデッセイ』（原題“The Martian”）でも、中国向けに一部のストーリーが作られていたのが印象深い。火星に残された宇宙飛行士（マット・デイモン）を助けに行く宇宙船は、機材トラブルによってピンチに陥る。アメリカのロケットは使い物にならなかったが、中国の宇宙開発機関（国家航天局）とロケットのおかげで宇宙飛行士の命が助かった。あれは中国の観客動員を意識して加えたストーリーだ。もちろん、人類が協力し合うというストーリーはすばらしいが、スポンサーの影響力が大きいということも意識すべきだ。

　日本もハリウッド映画の消費地としてはそれなりに大きいわけだが、日本市場のためにわざわざ内容を作り変えたといった話は聞いたことがない。むしろ日米経済摩擦を描く93年の『ライジング・サン』（原題“Rising Sun”）のように、日本批判の映画が作られたことはある。だが、中国を批判するハリウッド映画はなかなか作られない。中国の巨大市場を見込んだとき、「もの言えば唇寒し」の状態に陥ってしまうのだ。

　『ミッション：インポッシブル』や『ターミネーター』『スパイダーマン』といった近年のハリウッドの話題作を見ていると、テンセントやアリババが投資していることが多い。だから香港問題について、ハリウッドスターが発言するのは仕事上リスクが高い。そういう発言は中国政府にチェックされているため、今後中国系資本が入る映画にキャスティングされない可能性があるのだ。

したがって、普段は政治的な発言を厭《いと》わない俳優たちも、今回の香港問題については一様に口が重い。みんな黙ったまま、中国と香港の関係には触れようとしない。

『トップガン』から消えた日の丸と台湾国旗

１９８６年に公開された映画『トップガン』（原題“Top Gun”）は、世界中で大ヒットした。２０２０年６月、この映画の続篇（原題“Top Gun: Maverick”）が新たに公開される。ウェブ上で映画の予告篇を見た『トップガン』ファンが、大きな変化に気づいた。パイロット役のトム・クルーズが着ている革ジャンには、同盟国のさまざまな国旗のワッペンが縫いつけてある。だが続篇では、台湾の国旗や日の丸のワッペンが見当たらないのだ。

『トップガン』続篇には、中国のテンセントが出資している。「変なところで中国を批判しては駄目だ」と自己規制が働いたか、テンセント側から圧力がかかったとしか思えない。なにしろあの革ジャンは映画ファンが当時こぞって買い求め、本作を象徴する有名な衣装なのだ。

中国のＩＴ企業はいくらでもお金をもっている。人口が14億人にもなる中国では、本土で上映したときの観客動員数の規模は大きい。だから細かいところで忖度が発生するのだ。

19年10月には、ＮＢＡ（National Basketball Association）ヒューストン・ロケッツのＧＭ（ゼネラル・マネジャー）を務めるダリル・モリー（Daryl Morey）が、“Fight For Freedom. Stand With Hong Kong.”（自由のために戦う。香港とともに立つ）とツイッターに投稿した。ＧＭはこのツイートを削除し、あわてて言い訳をしている。

激怒したＣＣＴＶ（中国中央電視台＝中国の国営放送）は、ヒューストン・ロケッツの試合放送を中止すると通告した。さらに中国系の企業がスポンサーから降りると表明して、大きな騒動になった。

ＧＭや選手は謝罪や釈明に追われたわけだが、「ＮＢＡは中国の圧力なんかに負けるな」という国内からの反発もある。他方、ＮＢＡロサンゼルス・レイカーズのレブロン・ジェームズ（LeBron James）のように、ＧＭを「認識不足だ」と非難し、中国側に立つ選手もいる。

ネット上の言論空間が大きく2つに分かれる中、中国の経済的な影響力はあちこちで強くなってきた。言論・表現の自由が守られている我々の領域を、中国の論理がさまざまな形で侵食しつつあるのだ。

第4章　ジャーナリズムと戦争

戦争を起こしたイエロー・ジャーナリズム

ここでフェイクニュースの定義をあらためて確認しておこう。

第一に、メディアが確信犯的にウソをつくこと。第二に、メディア自体は事実を報じているが、トランプのような権力者が「××はフェイクニュースだ」と言ってそれを否定すること。あるいはメディアが正しい報道ができないように、情報統制や弾圧によって封じこめることもある。

トランプの場合、自分の支持者に「ＣＮＮやＮＹタイムズはフェイクニュースばかり流す」と訴えかける。そして「あのメディアの報道はウソだ」と連発することによって、正しい情報が否定され、メディア自体の信用が毀損されていく。

以上の２つの定義を頭に入れたうえで、歴史上繰り返されてきたフェイクニュースの過去を振り返っていこう。

１８９８年に起こったアメリカとスペインによる米西戦争は「歴史上最初のメディア戦争」と言われる。フェイクニュースが人を騙すだけでなく、戦争まで引き起こしてしまったとんでもない事例だ。１９４１年に映画『市民ケーン』（原題“Citizen Kane”）が公開された。主人公ケーンのモデルになったウィリアム・ランドルフ・ハースト（William Randolph Hearst）は、実在する人物だ。彼が米西戦争を引き起こした。

『市民ケーン』は劇映画としておもしろく脚色されているものの、完全なるフィクションではない。実在するハーストという人物を通して、あの時代のアメリカ社会の状況について議論を促した作品だ。彼がどうやって戦争をけしかけたのか説明する前に、当時のアメリカのメディア状況についてかいつまんで説明しよう。

1890年代のアメリカの世論は、ハーストがオーナーを務める「ニューヨーク・ジャーナル」（The New York Journal）と、ジョセフ・ピューリッツァー（Joseph Pulitzer）がオーナーを務める「ニューヨーク・ワールド」（The New York World）によって作られていた。ピューリッツァー賞で有名な彼だ。

「ニューヨーク・ジャーナル」と「ニューヨーク・ワールド」は、読者が興味をそそられるメロドラマやロマンスの話をたくさん混ぜこみ、誇張を加えて普通の話をおもしろおかしく書いた。今で言うタブロイド新聞のやり方で、「イエロー・ジャーナリズム」の原型を作った。信頼できない噂や風聞であっても、おもしろくドラマティックに響けばいい。センセーショナリズムはどんどんエスカレートして、「フェイクニュースであっても売れればかまわない」と暴走していった。

人々を駆り立てる「リメンバー」

ピューリッツァーの「ニューヨーク・ワールド」では、リチャード・フェルトン・アウトコールト（Richard Felton Outcault）というマンガ家が描く「イエロー・キッド」（"The Yellow Kid"）が人気だった。丸刈りで黄色い服を着た男の子のマンガだ。

絵がもちうる力をよくわかっていたハーストは、「ニューヨーク・ワールド」から「ニューヨーク・ジャーナル」へとアウトコールトを引き抜く。そこでピューリッツァーは別のマンガ家をスカウトしてきて、「ニューヨーク・ワールド」と「ニューヨーク・ジャーナル」はお互いが2種類の「イエロー・キッド」を載せて熾《し》烈《れつ》な部数競争を戦った。

当時のアメリカ社会では、スペインの植民地となっていたキューバと中米諸国についての関心が高かった。ハーストは悪知恵を働かせる。隣国キューバをめぐってアメリカとスペインの間に戦争が起これば、イエロー・ジャーナリズムを展開する自分たちの新聞が売れると考えたのだ。

ハーストは当時人気のあったレポーターをキューバに送りこみ、現地の女性や子どもが宗主国スペインのせいでどれほどひどい目に遭わされているか、メチャクチャな記事を書いた。勇敢なキューバ人が専制と圧政に抗して、スペインと戦っているとも煽った。

ハーストはさらに、フレデリック・レミントン（Frederic Remington）という著名なイラストレーターをキューバに送った。写真が普及する前の時代の新聞は、イラストレーターが描いた絵と一緒に記事を掲載していた。今のように写真ではなく、絵を使って読者にメッセージを伝えたのだ。

キューバに着いた当初、レミントンはガッカリして「ここではすべてが静かだ。何も問題はないし、戦争なんて起こらない。私はもう帰りたい」というテレグラムを送る。あわてたハーストは、「あなたにはそのまま留まって絵を描いてほしい。私が戦争を起こすから」と宥《なだ》めた。

そしてハーストは格好の材料を見つける。アメリカ海軍の戦艦メイン号（U.S.S. Maine）がハバナ湾で爆発事故を起こし、２６６人の乗組員が死亡したのだ。当時の船は石炭を動力としていたから、ボイラー室で水蒸気の強い圧力が発生し、爆発がたまたま起こった可能性もある。戦艦で実際何が起きたのかは、今もよくわかっていない。

爆発の原因が正確にわからないのに、ハーストは新聞で「スペインの仕業だ」と煽って大騒ぎした。アメリカ人は“Remember the Maine!”（メイン号を忘れるな！）と怒りに燃えた。そして爆発事故から2カ月後、アメリカは戦争を開始した。歴史上初めて、近代マス・メディアが開戦の引き金を引いたのだ。

アメリカはたった数カ月で勝利を決め、キューバやプエルトリコなどカリブ海域を手に入れる。そこを足がかりとしてアメリカは太平洋に進出し、グアムやフィリピンまで獲得した。

戦争が起きたおかげで、ハーストの新聞社は大儲けした。湾岸戦争やアフガン・イラク戦争のときもそうだったが、戦争が起きればメディアに注目する人の数は格段に増える。米西戦争当時はテレビがなかったから、新聞社が利益を総取りできた。儲かりさえすれば、ウソで戦争を引き起こしたってかまわない。その狂った発想が、現実の世界を大きく動かしてしまったのだ。

米西戦争以来、“Remember the Maine!”という言葉はアメリカ人の記憶に深く刻まれるようになる。１９４１年、日本軍は真珠湾を奇襲攻撃した。このときを振り返る際、今も“Remember Pearl Harbor!”（真珠湾を忘れるな！）という言い方がなされる。

余談だが、トランプ大統領もツイッターで“Remember #PearlHarbor.”“A day I'll never forget.”と呼びかけたことがあった（２０１７年11月３日）。Rememberという単語を出しただけで、アメリカ人はおのずとパール・ハーバーを想起する。

フェイクニュースを流したり、センセーショナリズムによって人々を扇動するときには、どういう言葉を用いるかで効果がまったく変わってくる。コピーライターのようなセンスがモノを言う。“Remember the Maine!”という短いフレーズのうちtheを省けば、たった2つの単語で強いメッセージが伝わる。もっと言うとRememberと聴いただけでみんなが「ああ、こういうひどいことが過去にあったよね」と一体になる。

ツイッターの投稿には２８０文字の制限があるから、まさに言葉選びがすべてだ。トランプは言葉の達人ゆえに、"Remember the Maine!"から連なるイエロー・ジャーナリズムの方程式を本能的につかんでいるのだろう。

オーソン・ウェルズが広めた「宇宙戦争」

映画『市民ケーン』で監督・主演を務めたオーソン・ウェルズ（George Orson Welles）は、１９３８年に伝説的なラジオ番組を作っている。23歳のときのことだ。彼は芸術的なまでに話がうまい。まるで実話のように芝居がかった宇宙戦争の話を"The War of the Worlds"という番組にまとめた。その番組を途中から聴いた人の多くは、「火星人が地球に攻撃を仕掛けてきた」という話がドラマだと気がつかず、自殺者が出るほどの大パニックに陥った。

この話はアメリカ社会では非常に有名だ。亡くなった私の祖母がウェルズのこの番組のことをよく覚えていて、その話を私にしてくれたのを覚えている。

この番組は今もユーチューブで聴ける。[*17] あらためて聴き直してみると、よくできていてすごい。ウェルズはニュース番組の真似をして、ワケのわからないものが地球に着陸したと訴える。大きな宇宙船が出てきて人間を殺す。軍も抵抗できないほど力の差があり、人類はとても太刀打ちできない。そんな様子を音声だけでリアルに描出していく。

ウェルズはラジオ番組を始める前、劇団を主宰していた。彼は芝居が大好きであり、効果音も手作りした。当時の写真を見ると、１人がナレーションを担当し、別の１人が雨の音や衝突音、ドアを閉める「ガチャン」といった音を人力で作る様子が記録されている。そうやってまことしやかな演出を行ない、アメリカじゅうを大パニックに陥れた。

「火星人が地球を攻撃した」という話を、別の意味で解釈した人も多かったようだ。このラジオ番組をきっかけに、「どうもドイツがアメリカに攻撃を仕掛けたようだ」という噂が広がった。当時のアメリカ人はナチス・ヒトラーが率いるドイツ軍の動向を気にかけていたため、なおさら心に響いた。

つまり「火星人が地球を攻撃した」というフェイクニュースは、まったくのゼロから生まれたわけではない。誰もが心の中で「ドイツ軍がすごい武器を作って攻めてきたら大変なことになる」という懸念をもともと抱えていたから、パニックは一層大きくなったのだ。

＊17　https://www.youtube.com/watch?v=Xs0K4ApWl4g

さらに、ラジオ放送を聴いていなかった人までその噂に踊らされて大騒ぎしたことも注目すべきポイントだ。多くの人が友だちの話を聴いただけで「えっ、そんなことがあったの!?」とあわてふためき、一次情報を確認しなかった。宇宙戦争の噂が広がったのは、そうした人間の習性も大きかったのだ。

あのときのラジオの機能は、今のソーシャル・メディアによく似ている。みんながもともと心の中に抱いていることをうまく利用して不安を煽る。今は友だちがシェアしたり「いいね！」をクリックすると、タイムラインにどんどん情報が入ってくる。宇宙戦争の噂を信じてしまった人たちと同じように、「この友だちが言うことなら真剣に聴くべきだ」「この記事はちゃんと読んだほうがいいな」と思わされる。顔と名前を知っている人が支持する情報は、その人への信頼から鵜呑みにしてしまう。こうした姿勢は危険だ。

そのラジオ番組が流れた翌日、オーソン・ウェルズは記者会見を開いて謝罪した。彼はこんな説明をしている。「ラジオは新しいメディアだ。ラジオが人々にどんな影響を及ぼすのか、私たちは今学んでいるところだと思う。今回の一件は苦い教訓となった」。

今日を生きる私たちも、ソーシャル・メディアという新しい媒体の特徴をまだ十分に理解していない。どうやってソーシャル・メディアとともに生きていけばいいのか。その答えがまだ出ていない中、人々はフェイクニュースに踊らされているのだ。

"The War of the Worlds"が大きな社会問題になると、政府は「このような混乱を防ぐためにラジオを検閲するべきではないか」という踏みこんだところまで議論をした。結局どうなったかというと、NBCをはじめとするラジオ局が自ら規制を作り、ウソやデマを流さないよう約束したのだ。

今も同じことが起きているのがおもしろい。アメリカ大統領選挙で、フェイスブックを利用した世論操作が行なわれたことは第2章で触れた。フェイスブックは、このままでは自分たちが政府から規制されることになると怖れている。だからフェイクニュースを流すアカウントを調査して凍結するなど、自主規制を強化し始めた。「歴史は繰り返す」という真理を証明する、興味深い事例だ。

ソーシャル・メディアとラジオの類似性

テレビ番組を作るためには、複雑な設備や機材、多くの人員が必要だ。番組を観る側は、アンテナや受像機（あるいはケーブルテレビの設備）を準備する必要がある。テレビ番組を作る側だけでなく、観る側のインフラを整えるためにもずいぶんとお金がかかる。映画もそうだ。映画を作るためには、プロダクションがたくさんお金を集めて態勢を整えなければならない。

他方、テレビや映画に比べると、ラジオ放送はお金をかけずに番組を作ることができる。使用する機器も、テレビより少なくて安価だ。手軽さゆえに万人に伝わるわかりやすさがある。

ラジオは高級品ではないから、昔から低所得者も活用してきた。その点も、ラジオはソーシャル・メディアととてもよく似ている。街頭にラジオを1台置いておけば多くの人が聴ける。食堂やタクシー、美容院などで聴いている人も多い。ソーシャル・メディアと同じく、リスナーから寄せられた声に番組内で応えることもできる。ラジオは誰もがどこでも使える媒体だ。今のソーシャル・メディアの原型はラジオにあると言えるかもしれない。

どの社会でも、新聞は基本的にエリートや知識階級が読む。貧しい生活を送る労働者は、新聞にお金を出すくらいなら別のものを買おうと考えるだろう。

そして、ラジオはテレビと違い、小さくて持ち運びができる。スマートフォンもそうだ。こういうどこでも使えてネットワークにアクセスできる携帯用のデバイスが生まれたのはラジオ以来だ。みんなが簡単に使えて、同じ言論空間を共有できる。その言論空間は、ときに多くの人を動かしたり世論を煽り立てたりすることもある。

次に、現代でラジオが起こした最も悲惨な事件であるルワンダ大虐殺について述べる。

貧困地域ではラジオが扇動メディアに

94年4月から7月にかけて、アフリカ東部のルワンダで恐るべきジェノサイド（大虐殺）が行なわれた。武装したフツが、50万人とも１００万人とも言われるツチを大量殺戮したのだ。

ルワンダでは、もともとフツとツチの二つの民族の間に確執があった。ツチは背が高いがフツは背が低くて肌の色が黒いと、当地でよく言われていた（実際にはあまり違いがないそうだ）。劣等感をもつフツの一部は、ツチに対する恨みをずっと前から抱えていた。その負の感情を利用して、ラジオが「ツチなんて殺してしまえ」とけしかけたのだ。

フツの急進派は「政府系のラジオ局はツチ寄りのニュースしか報じず、真実を伝えていない」と不満を抱えていた。そこで「ＲＴＬＭ」（Radio Télévision Libre des Mille Collines）というヘイトラジオ局を独自に作り、ツチへの攻撃を呼びかけるとんでもない番組を開始したのだ。「既存メディアはウソばかり流している。我々は自分たちの意見を広げるために、オルタナティブなラジオ局を作る」というわけだ。

「我々フツは大変な生活を送っているが、ツチの生活は楽で豊かだ。なぜか。エリートである彼らが、この国の富を全部独占しているからだ」「あいつらはこの国にあるいいものを全部かっさらっていく。とんでもないヤツらだ」。ラジオの扇動は、人々の心の中にある恨みを殺意に変えていった。

「ＲＴＬＭ」は大虐殺の前年に開局された。このラジオ局は、最初からヘイトスピーチを流していたわけではない。最初はポップ・ミュージックを流し、人気を集めるところから始めた。音楽やユーモア、コメディ、冗談でリスナーを集めたのちに、ツチへの憎しみを煽る番組へと変質していったのだ。

94年4月6日、政府専用機が撃墜され、乗っていたフツ出身の大統領が暗殺される。この事件をきっかけに、ラジオ局はツチに対する「最終戦争」と「処刑」開始を叫ぶ。さらに“Nanga Abahutu”（私はこういうフツを憎む）という曲までラジオで流しながら、ツチだけでなく穏健派のフツさえも標的として、彼らは残忍な虐殺をごく短期間で進めていったのだ。

先ほど触れた宇宙戦争のラジオ番組は、人々がパニックに陥る程度の混乱で済んだ。ルワンダでは、ラジオ番組のせいでとんでもない集団殺戮が起きてしまった。ソーシャル・メディアの時代にも、ルワンダのような事件は十分起こりうると思う。先ほど述べたように、ラジオとＳＮＳは性格がよく似ているからだ。

たとえば、今の日本では桜井誠が創設した「在特会」（在日特権を許さない市民の会）という団体が、「朝鮮人はゴキブリだ」という蔑《さげす》みの表現で差別を煽っている。ルワンダ大虐殺においても、まさに「ゴキブリ」（ルワンダ語でInyenzi）という憎悪に満ちた言葉が使われた。

10万人単位の虐殺は、少人数ではとてもできない。大勢のフツがいろいろな場所で同時多発的に動いたせいで、規模が広がったのだ。ルワンダで憎しみが一気に広がったのはラジオのせいだ。あのときは、みんながラジオでヘイトスピーチの演説を聴いていた。

当時のルワンダでは、読み書きの能力が教育によって人々に行き届いていなかった。新聞や本をきちんと読んでいれば、こんなバカげた行動をせずに済んだかもしれない。貧しい町や村では、新聞もテレビもあまり浸透していない。そんな社会では、ラジオというメディアが最も活躍する。ラジオの本体はとても安いし、読み書きができなくても聴くことさえできれば問題はない。だから貧しい人もみんな利用することができる。

インドでは格安の携帯電話が作られていて、貧困層の間では独自のソーシャル・メディアが使われている。気づかないうちに、そうした格安サービスを通じて民族間、宗教間に恨みと憎しみが広がることはありうる。現にインドでは、ときどきイスラム教の信者が殺される事件が起こっている。

ある研究者によると、ラジオしかメディアがない地域では、暴力によって傷つけられる人の数は62〜69％も増えるそうだ。ルワンダ大虐殺は過去の出来事として忘れ去ってはならない。あの事件を教訓として、二度と同様の虐殺を起こしてはならないのだ。

原発の広報官になった日本のメディア

２０１１年3月11日の東日本大震災で、福島第一原発は大事故を起こした。あの日まで、日本では「原発は絶対に安全だ」という神話がまかり通ってきた。これが虚構であったことを、すべての日本人が思い知った。

１９８6年4月、旧ソビエト連邦のウクライナで、チェルノブイリ原子力発電所が大事故を起こした。あのニュースは日本でも大々的に報道されたものの、日本政府が原子力政策を見直すほどの影響は与えていない。各地で進んでいた建設計画が中止されることはなかったし、青森県六ヶ所村の核燃料サイクル施設も予定どおり造られた。

福島第一原発事故後に政府の事故調査・検証委員会委員を務めた吉岡斉《ひとし》氏は、『原子力の社会史』（新版）という著書で〈スリーマイル島（ＴＭＩ）原発事故のときと同じように、日本の原子力開発の関係者たちは、「このような事故は日本では起こりえない」という趣旨の議論をおこなった。〉（２２５ページ）と記している。

アメリカ東北部のスリーマイル島にあった原子力発電所は、１９７９年3月に大事故を起こした。スリーマイル島（Three Mile Island）の頭文字から、しばしば「ＴＭＩ事故」と呼ばれる。朝日新聞編集委員の上丸《じょうまる》洋一氏が書いた『原発とメディア　新聞ジャーナリズム2度目の敗北』を読むと、ＴＭＩ事故当時の日本の対応について次の記述がある。

〈原子力安全委員会（吹《すい》田《た》徳雄《とくお》委員長）は、米国の事故について、装置の故障に人為ミスの連鎖が重なって発生したとの見方を示し、「日本ではこの種の事故が起こる可能性はほとんどない」との趣旨の談話を発表した。〉（３１８ページ）

いずれも、まるで戦時中の大本営発表のようだ。政府の発表を聴いたとき「本当にそうなのか」と批判的な視点をもたなければいけないマスメディアが、こぞって原発の安全神話を信じこむ。原子力政策が危険だと批判することは、非科学的な難癖だと皆が思いこまされていたのだ。

福島第一原発が爆発する以前も、日本ではたびたび原発関連施設で極めて重大な事故が生じてきた。１９９５年12月、福井県敦《つる》賀《が》市の高速増殖原型炉「もんじゅ」が火災事故を起こした。99年９月には、茨城県東海村にあるＪＣＯの核燃料加工施設で臨界事故が発生し、急性被曝による死者が出た。

そして２００２年、東京電力の事実隠蔽が発覚した。福島第一原発、福島第二原発、柏崎刈《かり》羽《わ》原発（新潟県）の点検時に原子炉が損傷していたのに、それを東電は隠したのだ。また07年７月に、新潟県中越沖地震直後に柏崎刈羽原発で火災が発生している。

これだけ事故が多発してきたのに、日本のジャーナリズムは原発の安全神話を突き崩すことができなかった。原発事業を管轄する経済産業省や原子力規制委員会（旧・原子力安全委員会）、電力会社の広報部や担当者の話を聞くだけで取材を終え、「地震多発国の日本で本当に原発は安全と言えるのか」という検証報道ができなかった。

前出の上丸洋一氏は、〈安全神話を崩せなかったという意味で、それは新聞の敗北を意味した。新聞は「原発は安全だ」というフィクションに敗れた。〉（『原発とメディア　新聞ジャーナリズム２度目の敗北』４２１ページ）と反省する。

大本営発表のような報道、「原発は安全だ」という神話は誰のためだったのか。「原子力村」で仕事をする電力会社とメーカーにほかならない。

戦争中は、軍部や官憲の言うとおりにしなければ、記者は特高警察（特別高等警察）に逮捕・投獄されてペンを取り上げられた。今は戦時中とはまったく状況が異なる。原子力発電の危険性について調査報道したからといって、罰せられるわけでもないし逮捕もされない。ならば、マスメディアはなぜもっと独立した検証報道ができなかったのだろう。

戦時中、大本営のウソを垂れ流さないため、ジャーナリストが唯一できたのは「黙る」ということだった。たとえ正しいことを書いても、どうせ検閲を受けて消されてしまうからだ。真実が新聞に出ないのだとすれば、残る選択肢は記事を書かず黙るしかない。

今の日本はそんな状態とはまったく違う。記者が本気になって調べれば、大地震が起こったときに福島第一原発が危険な状態になることは十分予想できた。だがマスメディアは本当のことが言えなかった。「原発は絶対安全だ」というフェイクニュースの広報官となってしまったのだ。

フェイクの元祖「大本営発表」

日本で流された元祖フェイクニュースについても紹介しよう。太平洋戦争中、新聞もラジオも、大本営（陸海軍を統帥《とうすい》する天皇直属の機関）から与えられる「大本営発表」に基づいて戦況を伝えた。日本軍が攻撃を受けてまずい状態にあるのに、大本営はプロパガンダ（今の言い方ではフェイクニュース）を行なって国民を欺《あざむ》いた。１９４２年６月のミッドウェー海戦でも、「大本営発表」そのままのひどいデマが垂れ流された。

ミッドウェー海戦で日本軍は、空母４隻、重巡洋艦１隻を沈没させられて失う。さらに別の重巡洋艦１隻も大破し、沈められた船に載っていた戦闘機などの飛行機約２９０機を失った。戦死者は３０００人を超える。この歴史的大敗によって、太平洋戦争の主導権は完全にアメリカに移った。

かたやアメリカ軍の損害は、空母１隻と駆逐艦１隻の沈没だけで済んだ。戦死者は約３００人と、日本軍の死者の10分の１だ。なのに大本営は、日本人の戦意をさらに高揚させるため、損害の規模をゴマかして発表した。たとえば１９４２年６月11日付の朝日新聞では、１面に次のような大見出しや文章が踊る。

朝日新聞

東太平洋の敵根拠地を強襲

ミッドウエー沖に大海戦
アリユーシャン列島猛攻
陸軍部隊も協力要所を奪取

米空母二隻（エンタープライズ、ホーネット）撃沈
わが二空母、一巡艦に損

太平洋の戦局此一戦に決す

米、攻防の戦略基點

昭和17年6月のミッドウェー海戦時の朝日新聞によるプロパガンダ記事

〈太平洋の戦局此一戦に決す〉
〈今次の一戦において米航空母艦勢力を殆《ほとん》ど零《ゼロ》ならしめ太平洋覇権の帰趨《きすう》全く決した〉
〈敵空母集団殲滅《せんめつ》〉
〈〝刺違え戦法〟成功　敵の〝虎の子〟誘出殲滅〉

記事の中身を見ると、数字や詳細はデタラメばかりだ。興味深いことに、〈米の損害公表以上〉という見出しに続く一文では「アメリカ軍がデマを喧伝して損害をゴマかしている」と訴えている。

〈アメリカのデマ宣伝は例によって日一日と彼の誇張する架空の戦果を倍加している〉
〈敵に与えた損害は公表以上のものがあるようである〉
〈アメリカ政府は如何《いか》にデマ宣伝に狂奔《きょうほん》しようともこの

事実の前にアメリカ国民の戦慄はいよいよ深まらざるを得ない〉（以上、旧字体の表記を一部現代式にあらためた）

デマを流している張本人が、「ウソをついているのはあいつのほうだ」と言っているのだ。

戦時中、逓信《ていしん》省の情報局で新聞課長を務めていた宮本吉夫は、『戦時下の新聞・放送』という本で次のように記している。

〈アメリカは、真珠湾の被害等は秘密にしていたのに対し、日本側は正々堂々と戦果をありのままに発表していたが、このミッドウエイ作戦を境に損害は控え目に戦果は拡大して発表し、後のガダルカナル戦争では敗退を転進として称するような発表方法に変えたため、国民大衆は、日本の軍隊は終始勝ち進んでいるように錯覚し、昭和二十年の大空襲によって初めて戦争の将来に不安を持つようになった。〉（65〜66ページ）

１９４２年８月から翌年２月にかけて、太平洋のソロモン諸島にあるガダルカナル島で戦闘が行なわれた。このガダルカナル戦でアメリカは制空権と制海権を握り、日本は多大なる犠牲を出した。なのに大本営は「転進」という言い方で戦況をゴマかし、「敗退」という重要な事実を国民に隠した。

朝日新聞をはじめとするマスメディアは、その情報の真偽を検証することなくコピー・アンド・ペーストして垂れ流し、当局の主張の正当化に加担した。まるで今の記者クラブメディアによるアクセス・ジャーナリズムそのものだ。

隔離された「零戦最後のパイロット」

新聞を読むと、ミッドウェー海戦でもほかの戦闘でも日本は全勝だ。なのに、なぜ東京にB－29爆撃機が飛んでくるのか。

戦後70周年の２０１５年、私は「零戦最後のパイロット」原田要《かなめ》氏にインタビュー取材をしたことがある（２０１５年４月３日、NYタイムズ[*18]“Retired Japanese Fighter Pilot Sees an Old Danger on the Horizon”）。

原田氏はアメリカ軍とイギリス軍の戦闘機を19機も撃墜した、伝説のパイロットだ。ミッ

＊18　https://www.nytimes.com/2015/04/04/world/asia/retired-japanese-fighter-pilot-sees-an-old-danger-on-the-horizon.html

ドウェー海戦で従軍し、生還した経験ももつ。取材当時98歳だった原田氏は長野県で暮らしており、自分が知る戦争体験を語ることをファイナル・ミッション（最後の使命）としていた。

「私は零戦のコクピットの中で戦争を戦った。ガラス越しに見た自分が殺した相手（パイロット）の顔を今でも覚えている」

彼は私にそう語ってくれた。戦争が終わったあとも、自分が殺した相手の顔が何度も何度も夢に出てきたそうだ。幼稚園を設立して、子どもたちに「戦争は絶対にしてはいけないよ」と平和教育に取り組むようになってから、ようやく零戦に乗っていたときのひどい悪夢を見なくなった。原田氏はそう私に語ってくれた。

ミッドウェー海戦やガダルカナル島の戦いで従軍しながら、原田氏は命を落とすことなく生き延びる。生き残った彼は零戦を海上に着水させて、日本の海軍に助けられた。潜水艦に救出されて助かった原田氏が日本に帰国すると、仲間や奥さん、家族とさえも接触が許されなかった。

「戦争の話は誰にもするなよ」と行動を制限された原田氏は、帰国後に地方の荒野に飛ばされる。大本営は「日本軍はミッドウェー海戦でアメリカに勝った」と公言しているのに、実際は空母を4隻も失って惨敗した。その後もますます戦況は悪化した。その事実を隠すため、まるでウイルスに感染したり伝染病にかかったりしているかのように目撃者を孤立させ、人との接触を厳しく禁じたのだ。

「戦争ほど恐いものはない。若い世代が同じ過ちを繰り返さないように、私の経験を伝え続けたい」

100歳の誕生日の直前で亡くなるまで、原田氏は自分が知る戦争の真実を人々に訴え続けた。フェイクニュースが暴走すれば、大勢の人が命を落とし、国家が存亡の危機に陥ることもある。そういう危機感をもって、私たちはウソを見破っていかなければならないのだ。

第5章　海外ジャーナリストが見るメディア20

ネットが促進した「タコツボ化」

私が初めて日本にやってきたのは、慶應義塾大学で日本語を学び始めた１９８８年のことだ。ジャーナリストの仕事をするようになってからは、ブルームバーグやＡＰ通信、ウォール・ストリート・ジャーナルやＮＹタイムズで記者として働き、日本でも取材を行なってきた。したがって日本滞在歴は延べ20年にわたる。

フリーランスのジャーナリストになった今も、NYタイムズをはじめとする英語メディア以外に、日本語の媒体にも目を通す。しかし、日本語でも英語でも一つだけの情報源に頼ってはいけないと思う。

情報リテラシーを磨き、自分の力で判断を下すためには、基本的に3つか4つのメディアに目を通して比較する必要がある。たとえば朝日新聞や産経新聞、東洋経済や日本版ウォール・ストリート・ジャーナルを併読して読み比べてみるのだ。

こういう作業をやろうとすると、最初は慣れないので時間がかかる。1カ月辛抱して読み比べてみれば、「ここがニュースの焦点ではないか」とポイントが見えてくるようになる。データ・リテラシーの腕は、自分で地道に磨くしかない。

インターネットが生まれた90年代には「ネットで全世界がつながる」という夢があった。しかし結局何が起きたのか。世界が一つになるどころか、まるで無数の民族に分裂しているかのように、タコツボ化が進んでしまった。

ネットができる前の時代は、みんな朝起きたら新聞を開き、仕事が終わったあとは夜のテレビニュースを見て同じストーリーを共有したものだ。結果、人々が得る情報はある程度共通していた。

ネットの登場によって、皆が共有する情報やストーリーはなくなってしまった。何が真実かも分からなくなり、複数の真実が存在して互いに争っているという複雑な世の中となった。トランプ支持者は「オレたちこそ真実だ」と言って譲らず、自分たちと異なるモノの見方をするNYタイムズやCNNを、「あいつらはウソを言っている」「フェイクニュースメディアだ」と否定する。

そういう仲間同士の環境にどっぷり漬かっていると、偏った世界観が当たり前のように体に染みついてしまうのだ。

人間は社会の中で生きる動物だから、自分のまわりにいる仲間が何についてどう思っているのかを常に気にするものだ。インターネットやソーシャル・メディアを見ていると、人々が意見の似た者同士で集ってコミュニティ化していることを顕著に感じる。自分と同じ意見の人たちばかりと情報交換をする。互いに確認し合うことで「私の考えは正しいのだな」と安心する。

だが、ソーシャル・メディアのコミュニティに身を任せ、ただ流されるだけになるのは良くない。彼らの意見やモノの見方にバイアスがかかっていたり、バランスを欠いた極論であったりすれば、それに汚染されてしまう。そうならないためには、幅広く4～5カ所の情報源に目を配りながら、さまざまなメディアに目を通すことが不可欠だ。

ネットがなかった時代は、朝日新聞や読売新聞、毎日新聞などの大手紙くらいしか一般読者には選択肢がなかった。今は昔と比べて、情報源は１００倍もある。また、スマートフォンはじめ媒体も手軽で便利になり、いつでもどこでも情報を得られるようになった。

選択肢が増え可能性も広がった分、幅広く情報を得て判断力を磨く努力も求められる。もちろん紙にこだわらなくていいので、新聞をオールド・メディアとしてバカにすることなく複数に目を通し、雑誌やソーシャル・メディア等も併読する努力を我慢強く続けてほしい。

無料メディア・アクシオスを使い倒せ

私が目を通す情報源は、このところ変わりつつある。ＮＹタイムズは世界中のニュースをくまなくカバーしながら、中身の濃い調査報道に果敢に挑んでいる。そうしたニュースを読むのは非常に有意義なのだが、アメリカ国内の報道についてはあまりに政治色が濃くなりすぎている。トランプに対抗するための主張が強すぎるのだ。

私が知りたいのは反トランプのアジェンダではない。ただ純粋に新しい情報を得たいため、最近はアクシオスをよく読むようにしている。

アメリカ国内の報道については、ＮＹタイムズよりもアクシオスのほうがキャンペーン・ジャーナリズムが少なく、幅広く新情報を得やすい。アクシオスは２０１７年１月に立ち上げられた新しいネットメディアで、広告による収入でビジネスを成り立たせているため、すべての記事が無料で読める。スマートフォン時代を強く意識した簡潔な記事の書き方をしているのもいい。[*19]

生まれて間もないメディアだというのに、アクシオスはトランプ政権やホワイトハウスに関するすごいスクープを次々と連発している。英語ニュースをスマートフォンで読んでいる日本の読者には、アクシオスをおすすめする。

２０１３年12月に設立されたThe Information（ザ・インフォメーション）も、アクシオスの次に毎日アクセスする。[*20] ザ・インフォメーションは、メディア産業とＩＴ産業について高品質な記事を出すオンラインの有料メディアだ。

２００７年設立のProPublica（プロパブリカ）は、調査報道を専門とする。[*21] オンラインメディアとしては初めてピューリッツァー賞を受賞するなど、評価も高い。ただしプロパブリカは長い文章で書かれた調査報道を掲載するため、日常的に気軽には読みづらい。ここで発表される記事は、時間が取れるときにじっくり熟読するといいと思う。

無料メディアであるアクシオスは読者から購読料を取らず、広告を出してくれるスポンサーから制作費を得てビジネスを成立させている。タダで高品質の記事をいくらでも読めるのは、読者にとってありがたい。

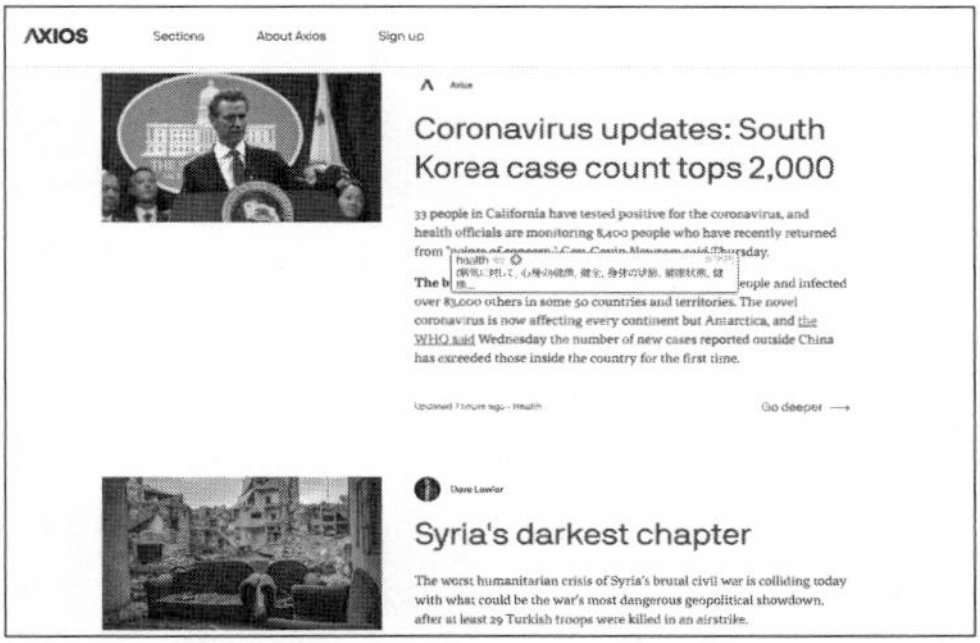

アクシオスのトップ画面。各記事の見出しと冒頭が閲覧できる

アクシオスを活用するため、まずメールマガジンにサインアップしておこう。アクシオスには朝刊と夕刊がある。ウェブサイトの上部にある Sign up をクリックしてみよう。

Axios AM は朝刊、Axios PM は夕刊だ。さらに、読者の関心に合わせたメールマガジンがたくさんあり、かなり専門的なものまである。例えば Axios Autonomous Vehicles は自動運転車、Axios Markets は金融市場や投資関連、Axios Edge はビジネスのニュースがまとめられている。Axios Generate はエネルギー、そしてスポーツの Axios Sports、宇宙開発の Axios Space もある。

そのほかにもサイバー・セキュリティ、ブレイキングニュース、ホワイトハウスの政治について報じるAxios Sneak Peekというメールマガジンなど、分類がすごく細かい。

それぞれの分野に担当編集者がいて、記事を集めて毎日または毎週メールマガジンを作ってくれる。つらつらと長い文章を書くのではなく、スマートフォンの画面に合うように箇条書き方式で短くまとめてくれる。また、記事の一番上に全部で何文字で読むのに何分かかるのか、目安がわかりやすく示されている。

アクシオスは紙メディアではなく、それこそ新時代の新聞だと思う。キュレーターが記事を選んで優先度をつけて、「これが大事ですよ」と見出しをつけてメールマガジンで紹介する。現代に新聞が再び戻ってきた。ジャーナリズムが復活したのだ。

ちなみに、日本のメディアで私が毎日読んでいる一つは、日本経済新聞である。前述したように、他の新聞社と違ってスマートフォンに特化した読みやすい記事を作ってくれているからである。また、全国紙の中で最も政治色が薄いという点も購読理由の一つだ。

ニュースは専用アプリで直接読もう

NYタイムズやウォール・ストリート・ジャーナル、イギリスのフィナンシャル・タイムズ、日本経済新聞やザ・インフォメーションといったメディアの記事を読むとき、私はグーグルやフェイスブックを絶対に経由せず、メディアのプラットフォームに直接アクセスするようにしている。

オールド・メディアにとっては存続の危機ではあるが、さまざまな新しい形が生まれてきている今は、メディアの黄金期でもある。昔ながらの紙の新聞もあり、そこにネットニュースが参入してきて、無料で記事が提供され始めた。そのネットニュースに対抗するため、新聞がスマートフォンで読むオンラインメディアに変貌しつつあるのはポジティブな現象だ。

ネット時代の黎明《れいめい》期に、オールド・メディアはオンラインへの対応に完全に出遅れた。二の足を踏んでいるうちに、グーグルやフェイスブックは巨大なプラットフォームを作り、メディアのコンテンツのほとんどすべてを無料で配信するようになった。そして彼らは、広告収入によって大儲けしてきたのだ。

やがてパソコンからスマートフォンへと覇権は移り、大きな変化が今起こっている。メデ

＊19　https://www.axios.com/
＊20　https://www.theinformation.com/
＊21　https://www.propublica.org/

ィアが独自に開発したスマートフォンアプリのおかげで、グーグルやフェイスブックを経由しなくともニュースに直接アクセスできるようになったのだ。

課金制のアプリが読者に普及すれば、メディアはニュースのプラットフォームをグーグルやフェイスブックから取り戻せる。そうすればメディアにオンライン版読者の購読料が入り、良質な記事を書くための資金となる。

グーグルやフェイスブック、ヤフーニュースといったプラットフォームを通してニュースにアクセスすると、記事が多すぎて何を読むべきかわからなくなる。選択肢が多いのは悪いことではないが、ただ洪水のように溢れるだけでは、肝心なニュースが埋もれてしまう。

さして価値のないニュースなのに、ヤフーニュースやグーグルのキュレーションによってトップに表示されることもある。不要なバイアスを排除し、重要なニュースに真っ先にアクセスするためにも、スマートフォンアプリで直接読んだほうがいい。

メディアのメールマガジンを活用せよ

アプリで記事を読む以外に、メディアが発行しているメールマガジンもかなり役に立つ。

ＮＹタイムズやフィナンシャル・タイムズ、アクシオスといったメディアは、それぞれ毎日メールマガジンを配信してくれる。ＮＹタイムズやフィナンシャル・タイムズ、ザ・インフォメーションは有料だが、アクシオスは無料だ。

これらのメディアのアプリをダウンロードすると、アプリ内で自由に記事を読めるパスワードをもらえる。さらにメールマガジンに登録すると、メールが毎日届く。アプリで自分が読みたい記事を探す手間を省くために、メールマガジンは極めて有用だ。

自分が興味のあるトピックについてキーワードを登録しておけば、メールマガジンが役に立ちそうな記事をどんどんリコメンドしてくれる。この機能がとても便利だから、私はもう紙の新聞はまったく読まなくなってしまった。

メールマガジンの何がいいかというと、プロの編集者やジャーナリストがたくさんのニュースに目を通したうえで、「今日の10大ニュース」といった感じで記事をキュレーションしてくれることだ。紙の新聞は、最も重要で速報性が高いニュースを1面に載せる。あれと同じ感覚で、複数の大事なニュースをメールマガジンで選別してくれるのだ。

必要な情報が詰まっていながら、画面が小さなスマートフォン用に短く読みやすくまとめてある。記事の中の情報密度が高い。メディアが出すメールマガジンは、非常にユーザー・フレンドリーだ。

メディアはますますニュースのキュレーションが巧みになってきた。メールマガジンで紹介されたニュースに関心があれば、関連記事のリンクへ飛ぶといい。そうやってどんどん記事を読み進めることができる。このように、スマートフォンの時代ではニュースの読み方が様変わりしたのだ。

日本でも聴けるNPR News Podcasts

スマートフォンのおかげで、海外のニュースを知りたいとき、専門分野にピンポイントで情報を得られるようになった。シリコンバレー関連であればザ・インフォメーション、ワシントンの政治であればアクシオス、アメリカの「青い州」（民主党支持派）と「赤い州」（共和党支持派）の対立についてはＮＹタイムズを読めばいい。

アメリカではネット上で聴けるラジオニュース（ポッドキャスティング）がすごくはやっている。英語をリスニングできる人には、ＮＰＲを勧める。これは１９７０年に設立されたアメリカの公共ラジオ局で非営利団体なので、リスナーからの寄付で成り立っている。２０００年代に入ってからはポッドキャスティングに注力し、高品質な番組をネット配信している。NPR News Podcasts でポッドキャスティングのニュースを聴いてみるといい。[*22] ＮＹタイムズも、音声版ニュースや動画ニュースを作っている。

ともかく、一つの情報源だけに頼って安心しないことが大事だ。フェイクニュースや偏ったニュースに騙されないようにするためには、受け身にならず努力して、さまざまな意見に耳を傾けるほかない。

もちろんメディアが間違えることはあるが、誤報やフェイクニュースを流したときには、メディアの間違いが大きく報道、訂正される時代になった。一つのメディア報道を無自覚に鵜呑みにせず、比較しながら読めば、データ・リテラシーは確実に磨かれていく。

フィナンシャル・タイムズに追随する日経電子版

世界のメディアがこうした潮流にある中、日本のメディアはどうか。見渡してみると、スマートフォン時代に辛うじて追いついているのは日本経済新聞だけしかない。

日経新聞は明らかにフィナンシャル・タイムズの影響を受けている。２０１５年、１２０年以上の歴史を持つイギリスの名門紙である同社を買収。そのノウハウを学ぶことで、日経

＊22　https://www.npr.org/

新聞は日本で一番改革が進んだメディアとなった。

かたや朝日新聞は、スマートフォン時代にうまく対応できていない。パソコン時代には辛うじて対応し、ウェブサイトでしか読めない「朝日新聞デジタル」のオリジナル記事を作っていたりもする。だが現状のウェブサイトは、まるでヤフーニュースのように雑多な記事がゴチャ混ぜになっている。「なぜこれがトップに来ているのだろう」と首を傾げるものも多く、いったい何が重要なのかよくわからない。

朝日新聞はまだスマートフォン用に記事を作っていない。紙の新聞がなおも主役で、デジタル版は間に合わせレベルの印象だ。ＮＹタイムズやフィナンシャル・タイムズのように、ユーザー・フレンドリーなデジタル・ネイティブになるところまではまったく及んでいない。そして、日本の他の新聞はもっと出遅れている。

今はメディアの存在が見直されている時代だと思う。情報が溢れる今、人々はメディアに対して「ゲートキーパーの役割をもっと果たしてほしい」と求めている。何が本当で何がウソかを見極めるため、記者は現場に入ってファクトを集め、それに基づくストーリーを文章にまとめる。その記事を、スマートフォンアプリやメールマガジンを使って確実に読者に届ける。それがメディアが果たすべきゲートキーパーの役割だ。

「ワセダクロニクル」の調査報道

17年2月、元朝日新聞記者の渡辺周《まこと》編集長が率いるオンラインメディア「ワセダクロニクル」が設立された。[*23] 日本初の調査報道ジャーナリズムのNGO（非政府組織）だ。日本にある独立系メディアの中では、ワセダクロニクルが頑張って質の高い記事を提供している。ただし限られた人数のスタッフしかいないことと、寄付によって活動していることから記事の本数は少ない。アメリカのプロパブリカの場合、寄付金をその都度集める形式ではなく、資産家がいきなり巨額を投入して基金を作った。その基金の利子だけで運営が成り立つほど経営はかなり安定している。

社会を良くするために多くの資金を提供しようという意識が日本の富裕層にない限り、プロパブリカの日本版はなかなか成立しないだろう。やはり、ワセダクロニクルは財政的に苦しい。取材経費を賄うため、ネットでのクラウドファンディングに頼らざるを得ない。そうした状況により、記者は今、2～3人しかいない。プロパブリカには何十人も記者がいる。

＊23　https://www.wasedachronicle.org/

ワセダクロニクルもプロパブリカのように、いずれ30人くらいの記者がバリバリ記事を書く組織になれば嬉しいが、支援がもっと必要だ。

今こそ新メディアを作る好機

ビジネスの情報に限って言えば、「週刊東洋経済」と「日経ビジネス」は、雑誌・電子版ともにとてもいい内容だ。アクセス・ジャーナリズムの全国紙とは対照的だと思う。財務省や経済産業省の官僚が教えてくれた情報をそのまま報道すれば、誰からもクレームや批判は来ない。ほかの新聞もみんな同じことを報道しているから大丈夫だと安心できる。

調査報道というのは、自分たちが取材して集めた情報を1社だけが出すのだから怖い。「本当にこれで正しいのか」と問われたときに備え、ファクトを全部示して「記事の内容は真実だ」と反論できる準備をしておかなければならない。訴訟リスクも高いし、取材経費も膨大にかかる。だから日本の新聞はアクセス・ジャーナリズムで楽をしたいと考える。

特に、日刊ニュース版の「週刊東洋経済」のようなアクセス・ジャーナリズムに頼らない新メディアが、日本に生まれてほしいと思う。「週刊東洋経済」は読者のほうを向き、自分たちにとってリスクが高いニュースも思いきって書く。新聞社本来の姿もそうであるはずなのだ。

アクセス・ジャーナリズムの危険性をしっかり認識したうえで、読者のための記事をストレートに書くという意味では、在京新聞社の中では東京新聞が一番いいと思う。ただし反トランプ色が強すぎるＮＹタイムズと同様に、東京新聞は反安倍の主張が強すぎることが気になる。もちろん良い記事もあるのだが、アジェンダが偏りすぎていることもある。

産経新聞も独自の報道をすることがあるが、これは東京新聞とは逆の意味で政治色が濃すぎる。まるで安倍政権の応援団だ。読者は新しい情報を求めているのに、日本にはそれにきちんと応えてくれるメディアが乏しい。ジャーナリズムの深刻な空白地帯が生じていると感じる。

バズフィードジャパン[*24]やハフィントンポスト（ハフポスト）日本版[*25]はせっかく独立したメディアであるのに、なぜか既存の新聞社と同じような記事が多くて、うまく差別化できていないのが残念だ。他の新しいメディアも、ネットニュースやツイッターの書きこみをパッチ

＊24　https://www.buzzfeed.com/jp
＊25　https://www.huffingtonpost.jp/

ワークのように切り貼りしたつまらない記事が多い。せっかく自前のメディアをもっているのだから、独自の取材によってもっと自分たちのストーリーを組み立てればいいのにと感じる。

日本のメディアがこういう状況に陥りがちなのは、教育の問題も強く影響しているだろう。日本ではメディアの学校やジャーナリズム教育が充実していないから、記者は会社に入ってから初めて取材の作法を学ぶ。朝日新聞や毎日新聞の記者が、自社の中で学んだ方法に従って書き、伝統を踏襲するというパターンが出来上がっている。

アメリカの場合、メディア・スタディーズやジャーナリズムを学べる大学や大学院はたくさんある。そうした学術機関で専門知識を身につけた記者が、新聞社に入ってくるのだ。従来の取材モデルそのものを、日本のメディアは今すぐ考え直すべきだと思う。

すさまじい勢いで部数を減らしているとはいえ、ほとんどの新聞社が倒産せずに残っている。紙の新聞は明らかに斜陽産業であるのに、各社はスマートフォン時代にまったく追いつけていない。

今の日本で、いったいどこがスマートフォン用のコンテンツを作っているのだろうか。強《し》いて挙げるとすればニューズピックス（NewsPicks）だ[*26]。だがニューズピックスは、堀江貴文氏のような有名人や「インフルエンサー」と呼ばれる著名人におもしろく時事評論をしてもらうキュレーション・メディアであって、独自取材による報道が少なすぎる。

現場に出かけて自分の手で情報を集め、その真偽を判断して記事をまとめる。それがジャーナリズムの基本だ。ニューズピックスでは、独自に現場取材をしたり調査報道をしている記者が少なすぎる。福島の放射能汚染について遠くから眺めながら「どうやら危ないようだ」とコメントや評論をしているだけでは物足りない。

日本では、新時代に即応したジャーナリズムがまだ育っていない。困ったことだが、言い方を変えると今はすごいチャンスでもある。既存の新聞社が時代遅れになり、新しい報道機関はまだ現れていない。今こそジャーナリズムに挑戦する新しいメディアを作るチャンスなのだ。

メディアの復権

パソコンやインターネットが普及し始めたころ、「ネットを使って自分で調べてみる」と

＊26　https://newspicks.com/

いうブームが起きた。かつて存在した「オーマイニュース日本版」の市民記者が体現するような「市民ジャーナリズム」という言葉も生まれた。「市民が誰でも記者になれる」という機運が一時的にせよ生まれたのである。

今はあまりに多くの情報が溢れ、細分化しているため、市民記者が自ら取材して記事を書くのがなかなか難しい。ならば有料メディアを購読し、プロの記者に調べてもらったほうがいい。「市民ジャーナリズム」の時代から潮目が変わり、今再びプロの出番がやってきたのだ。

情報の洪水の中、誰もが調べる時間も余裕もなく、あまりにも情報が多すぎて、今は誰も追いつけていない。だが、情報の洪水の中でみんな溺れ死んでしまっては困る。「今日一番大事な10個の記事をプロに教えてほしい」というニーズは今とても高まっている。まさにメディアにとってのチャンスなのだ。

パソコン全盛期に、「もうメディアなんて要らない」「新聞はなくなる」と言われたこともあった。今はメディアに人々が回帰してきている。メディアの重要性が見直されているのだ。その変化に気づき、いち早く対応したメディアは今後確実に成功する。現状のやり方にこだわるメディアは、残念ながら滅びるほかないのだろう。

独立系識者のツイッター

この情報の海を生き抜くため、複数のメディアに目を通したほうがいいと前述したが、実はそれだけでは足りない。もう一つ努めてほしいのは、複数の識者の発言をこまめにチェックすることだ。幸い、これはソーシャルメディアによって簡単にできる。

ソーシャル・メディアを使うときには、誰をフォローするか慎重に判断するべきだ。一つの問題に対し多方面から情報をピックアップし、それをもとに自分の頭で考えて意見を発信する。そういう識者のアカウントをフォローすれば、「この話題になっているテーマの本質はこうだ」といった視点が得られる。

データ分析に基づくジャーナリズムについては、アメリカのネイト・シルバー（Nate Silver）が信頼を集めている。彼がもつツイッターのアカウント（@NateSilver538）には３２５万人以上ものフォロワーがいる。

彼は一時期ＮＹタイムズで仕事をしており、データ・ジャーナリズムの手法を使った分析がとても上手だ。現在は世論調査専門のウェブサイトFiveThirtyEight（ファイブサーティエイト）[*27]で編集長を務めている。ファイブサーティエイトは、２００８年11月のアメリカ大統領選挙で50州のうち実に49州の勝敗を的中させ、世界を驚かせた。オバマが再選された２０１２年11月の選挙では、50州すべての勝敗を当てている。

ただし２０１６年11月のアメリカ大統領選挙で、ファイブサーティエイトは「ヒラリー・クリントンが勝利する確率は71・４％」と予測して失敗した。こういうこともあるため、一つだけのゲートキーパーに頼りきらないことも重要だ。

だから私は毎日ＮＹタイムズ、フィナンシャル・タイムズや日本経済新聞、それにアクシオスやザ・インフォメーションを読み比べたうえで、ネイト・シルバーのように個人で発信している識者の論述にも目を通す。

論調があまりにも極端だと感じるときには、「なぜだろう」と疑問をもつ。同じ報道機関だけでなく、イギリスやアメリカ、日本のメディアを読み比べる。総合誌とビジネス誌の主張を読み比べる。ネイト・シルバーのような個人の意見にも目を通す。そうすれば、おのずとバランスの取れたモノの見方ができるようになる。

ネイト・シルバーのような個人の論者には、組織のしがらみがない。あらゆる利害から自由にモノを言える。「ＮＹタイムズのこの記事は全然駄目だ」と言い切ったりもするから、彼のような個人のツイッターはとても参考になる。

アメリカの経済学者ポール・クルーグマン（Paul Krugman）のツイッター（@paulkrugman）も有名だ。彼は２００８年にノーベル経済学賞を受賞し、ＮＹタイムズのコラムニストも務めているが、ＮＹタイムズの報道をしばしば批判する。彼の分析眼は非常に鋭い。経済分野で何か大きな出来事が起きたときには、クルーグマンがどのように考えているかを必ず確かめるようにしている。

個々の論点について、自分の意見や立場と異なってもまったくかまわない。むしろ、そのほうがいい。違う視点の人のオピニオンを読むことで、一つの見方に偏らない判断力が磨かれるのだ。

私はアメリカやヨーロッパの経済問題、ビジネスの話題に関心をもっているため、クルーグマンが書いたオピニオン記事やツイッターを英語で読むと非常に参考になる。ただし日本の読者にとっては、彼の論説は他人事のように感じるかもしれない。アメリカ人にとって大事なトピックであっても、日本から見ると距離があって馴染みがないからだ。

彼はトランプ政権やアメリカ国内の問題を主に語るから、日本の読者は「自分たちと地続

＊27　https://fivethirtyeight.com/

きの問題だ」とはなかなか感じられない。日本の読者には、「日本版ポール・クルーグマン」とも言うべきオピニオンリーダーを見つけてほしい。

左右両方の意見を意識的に聞く

ネット時代を生きる私たちは、ソーシャル・メディアの狭いコミュニティの中に、いつの間にか入りこんでしまう危険性がある。自分と似通った意見の人たちと、「やっぱりそう思う？　そうだよね」と言葉を交わして納得するのは心地良い。

居心地が良いバブル（泡）の中に入ったままだと、外の世界が見えなくなってしまう。だんだん真実から離れてしまう。気づいたときには、エイリアンのように実社会とはかけ離れた世界観に没入しているかもしれない。中には陰謀論や妄想に走る人もいる。自分たちのバブルに閉じこもっているうちに、他の視点からのチェック機能が働かなくなってしまうせいだろう。

私自身はアメリカの南部出身で、政治的なアウトサイダーであるトランプ大統領に同調するときもある（たとえば、中国とのもっとバランスの取れた関係構築を志向する点）。他方、大学の授業料を減額および無料化するなど、教育支援を掲げるバーニー・サンダースを支持するときもある。つまり、争点ごとに支持が異なる無党派の人間である。だからこそ、自分とは異なる右や左の意見にもあえて耳を傾ける必要があると思う。そうすることによって、自分がちゃんと客観的に物事を考えているかどうかが確かめられるからだ。だから私は、ツイッターでは右側の意見と左側の意見を両方ともフォローする。

右にせよ左にせよ、変に感情論に走る人の意見には気をつけたほうがいい。客観的にちゃんと考えたうえで、自分の立場と意見を発信する。そういう人の意見を丁寧に聞くべきだ。信頼性が高い発信者は、右にも左にもいる。

「この人の意見さえ聞いておけば間違いない」「自分とこの人は１００％同じ意見だ」と思考停止してしまうのは危険だ。わざと正反対の意見をもつ人、なおかつ誠意がある人の意見を意識的に読みながら、バランスを取ってほしい。

「インフルエンサー」と「インタープリター」

ソーシャル・メディアで力をもつ「インフルエンサー」の中には、時折変な意見の持ち主がいる。くだらない意見や、差別的なモノの見方を振りまく芸能人もいる。単にフォロワー数が多い人を「インフルエンサー」として尊敬するのではなく、信頼性の高い「インタープリター」（interpreter ＝情報の仲介者）の意見をチェック機能として活用してほしい。

まず自分がメディアの記事を読む。次に、その記事についての誰かのツイートを読みながら「そういう見方もあるのか」と異なるパースペクティブを得る。やや高度ではあるが、複眼思考でファクトチェックに励んでほしい。

くどいようだが、データ・リテラシーは努力を重ねなければ向上しない。自分では見えないワシントンや、グーグル、フェイスブックの内部で何が起きているのか。そこをちゃんと調べて教えてくれる人の意見は、自分の視点を立体的にしてくれる。

コミュニティの仲間同士で自分と同じ意見だけを交わし合う。こういう態度はジャーナリズムではないし、バランスの取れた情報収集のやり方ではない。誠意をもって、努力しながら信頼性の高い情報を発信する。そういう人たちの多様な意見に目を通しながら、豊かな判断力を身につけてほしい。

私がフォローする日本の論客

日本で発信している識者の中で、ジャーナリスト以外に私がフォローしているツイッターのアカウントを、いくつか紹介しよう（敬称略）。ここに掲げるのはごく一部であり、私がフォローしているジャーナリストも加えると、人数は以下の50倍くらいになる。

▼山崎雅弘（戦史・紛争史研究家　@mas_yamazaki）
▼山口二郎（政治学者　@260yamaguchi）
▼中野晃一（政治学者　@knakano1970）
▼鈴木一人《かずと》（国際政治学者　@KS_1013）
▼三浦瑠麗《るり》（国際政治学者　@lullymiura）
▼高橋洋一（経済学者　@YoichiTakahashi）
▼金子勝（経済学者　@masaru_kaneko）
▼飯田哲也《てつなり》（エネルギー学者　@iidatetsunari）
▼鈴木達治郎（長崎大学核兵器廃絶研究センター教授　@tatsu0409）
▼湯浅誠（社会活動家　@yuasamakoto）
▼舞田敏彦（教育社会学者　@tmaita77）
▼森山高至《たかし》（建築エコノミスト　@mori_arch_econo）
▼想田和弘（映画監督　@KazuhiroSoda）

▼池田信夫（株式会社アゴラ研究所所長　@ikedanob）

▼新田哲史《てつじ》（アゴラ編集長　@TetsuNitta）

▼早野龍五（物理学者　@hayano）

▼郷原信郎《ごうはらのぶお》（弁護士　@nobuogohara）

▼野口悠紀雄（経済学者　@yukionoguchi10）

▼田中康夫（小説家　@loveyassy）

▼飯山陽（研究者　@IiyamaAkari）

ご注意いただきたいのは、「この人たちをぜひフォローしてほしい」という意図で取り上げたわけではないという点だ。読者の皆さんがご自身で、フォローするかどうかは判断すればいい。

いろいろな立場の参考になる人を見つけ出すのが、現代を賢く生き抜く秘訣だ。自分が賛同できる意見ばかりに触れるのではなく、「世の中にはさまざまな考え方がある」ということを実感してほしい。

いつも正しいかどうかは別にして、上記の人々は誠意をもって真剣に物事を考え、自らの意見を発信している。この人たちと自分が１００％同じ意見である必要はない。むしろ、自分と誰かの考えが一致するほうが不自然だ。

アメリカのネット右翼の人には、感情論を振りかざす人もいれば論理的な人もいる。私は両方の意見に接するように努めているし、右寄りと左寄りのワシントンの記者のアカウントをフォローしたりもしている。

自分と同じ意見ばかり読んだりしていると、バブルの中に入りこんで、外側の様子がまったく見えなくなってしまう。だんだん狭い世界、極端な方向に見方がズレていく。世の中の多様性が全然見えなくなってしまう。そうならないために、さまざまな人の考え方に意識的に触れることが重要なのだ。

5人が5人みんな同じ意見だったら、それは赤信号だと注意したほうがいい。コミュニティの中でさえ、みんなが同じ世界観をもてるわけがない。多様な意見がまだら模様のように混在しているからこそ、社会は健全に保たれるのだ。

第6章　日本のジャーナリズム復活のために

NYタイムズの復活と「新しい危機」

第1章で「紙の新聞の危機」、そして黄金時代を迎えたNYタイムズの成功について記した。スマートフォンアプリを活用して世界中に記事を発信し、新しいキャンペーン・ジャーナリズムを展開したことは、NYタイムズに良い結果をもたらしたとは思う。ただしその成功とは裏腹に、危惧するべき落とし穴もある。黄金時代を迎えたNYタイムズのジャーナリズムが、違う方向へ暴走する危険性があるのだ。

２０１６年のアメリカ大統領選挙でトランプ旋風が吹き荒れ、誰もが当選圏外だと見ていた彼が当選してしまう。選挙戦を通じて、彼はＣＮＮやＮＹタイムズを名指しで攻撃した。17年1月に正式に大統領に就任すると、トランプのメディア攻撃はさらに苛烈さを増す。

彼が何か言葉を発するたびに、ＮＹタイムズはアンチ・トランプの取材記事やオピニオン（論説）を連日のように掲載した。彼の言動や突拍子もない政策転換に憤る読者は、ＮＹタイムズのキャンペーンを読んで溜飲を下げる。今まで新聞を読んでいなかった反トランプの読者が新たに購読を申しこみ、彼らを満足させるために、ＮＹタイムズはますますキャンペーンを激化させるサイクルが生まれた。

ジャーナリストにとって最も重要な使命は、権力者のウォッチドッグ（番犬）になることだ。大統領がウソをついたり間違いを犯したり、誤った政策を実行したとき、ウォッチドッグは大統領を正面から告発することに躊躇してはならない。その点、ＮＹタイムズの記者はアメリカの最高権力者から会見場で吊るし上げられようが臆することなく戦い、結果として多くの新しい読者を獲得したわけだ。

社会に何らかの不正があったとして、たった1本の記事を書いただけで問題がなくなったりはしない。何本も何十本も矢継ぎ早に記事を書き続け、時にはほかのメディアともスクラムを組む粘り腰のキャンペーン・ジャーナリズムによって、初めて大きな社会変革は成し遂げられる。前述したハーヴェイ・ワインスタイン事件が典型だ。

ただしキャンペーン・ジャーナリズムには、読者の信頼を失うリスクもある。これまで指摘してきたように、ジャーナリストには、インターネットやスマートフォンで飛び交う膨大な情報を精査し、取捨選択するゲートキーパーとしての役割が期待されている。読者からの信頼を得られている限りにおいて、ジャーナリストはゲートキーパーとして責務を果たし続けることができる。公正で客観的であるという職業倫理を守るからこそ、ジャーナリストはこれまで読者から支持されてきた。

読者はジャーナリズムに対し、自分たちを取り巻く世界の出来事を理解するための確かな情報を提供してほしいと期待する。大前提として、フェイクニュースや偏った情報を排除しなければ、正しい判断などできない。正確な情報に基づく理解ができて初めて、読者は自ら選択を下せる。つまり、行動に移るための納得と自信を与えてくれる（empower）ジャーナリズムを読者は望んでいるのだ。

新聞社の会議では、どの記事が多くのページビューを獲得したかランキングが発表される。

ジャスティン・ビーバーやレディー・ガガのロングインタビューを動画つきで掲載すれば、何百万件、何千万件というすさまじいページビューを稼げるだろう。だがジャーナリストが娯楽と商業主義に引きずられて、閲覧数ばかりを気にするようではいけない。

例えば私は今までシリアには一度も行ったことがないので、紛争の現場で何が起きているのか、アレッポの現状について正確な情報を知りたいと思う。ページビュー至上主義、ランキング至上主義で仕事をしていると、シリア内戦という重要なテーマは隅っこに追いやられてしまう。

ジャーナリズムの本質は、センセーショナルな見出しをつけて読者を惹きつけることでもコマーシャリズムでもない。「読者をempowerする」ことこそが原点だ。ジャーナリズムが逆に読者からリテラシーを奪い、判断力を失わせることがあってはならないのだ。

客観性とアジェンダ

スマートフォンおよびソーシャル・メディア全盛の今、信頼性の低い噂話やフェイクニュース、バイアス（偏り）がかかった不誠実な情報が満ちあふれている。有象無象のデータが洪水のように押し寄せてくる時代だからこそ、ジャーナリズムの必要性がいや増していると思う。

ジャーナリストが記事を書くときには、自身の思いこみや感情論を排した客観性（objectivity）が重要だ。アンチ・トランプのキャンペーンに必死になるあまり、客観性が犠牲になってしまうようではいけない。くどいようだが、読者は正確な情報、バイアスがない知識を求めているのだ。

ジャーナリストが客観性の境界をちょっとでも踏み越えると、たちまち危険が生じる。もし読者が「この記事を書いている人は、特定のアジェンダを私たちに押しつけようとはしていないか」という疑念を抱けば、ジャーナリズムはあっという間に支持を失う。

しかし、調査報道とアジェンダのキャンペーンを分ける一線はとても曖昧だ。だからジャーナリストは、自分の意見と客観性との区別の難しい判断を常に求められていると言える。

日本を例にとって考えてみよう。「日本国憲法第9条は一言一句いじるべきではない」と言う護憲派もいれば、「憲法9条に第3項を追加して、自衛隊の存在を明記するべきだ」と主張する改憲派もいる。どちらが正しいか正しくないか、いきなり結論は出さずいったん脇に置いて考えてみよう。護憲派にも改憲派にも双方に言い分はあるからだ。

一方の主張のみを前面に押し出し、もう一方の主張には耳を貸さない。メディアがこういう姿勢では、憲法9条をめぐる二種類の基本的論点を読者が認識することすらできない。護憲派と改憲派どちらかに肩入れするのではなく、双方の意見を公平に提示することも、ジャーナリズムが果たすべき仕事だと私は思う。

護憲派と改憲派という異なる意見をもつ人がいるのに、護憲派の意見ばかりに肩入れして改憲派の意見はごくわずかしか紹介しない。こうした報道姿勢では、読者は「自分たちはジャーナリストによって情報操作されている」と感じてしまう。すると、「ちょっと待て、改憲派の言うことにも一理あるはずだ」と必ず揺り戻しが生じるのだ。

manipulation と empowerment

「manipulation」（情報操作）と「empowerment」（情報を提示して選択する力を与えること）は対極的だ。反トランプのキャンペーン報道に熱を上げるあまり、「特定のアジェンダに寄りすぎている」「これではmanipulationそのものではないか」と感じた読者がＮＹタイムズから離れることがありはしないか。私はその点を危惧している。

新聞社の経営者が新聞を売りたいと思うのは当たり前だ。売れない新聞を作っていたら、赤字ばかりが膨らんで会社は潰れてしまう。だが商業主義に駆られてキャンペーン・ジャーナリズムが行き過ぎると、新聞は信頼を損なって読者を失う。

今はトランプと共和党の政策を激しく批判すれば、読者を簡単に喜ばせることができる。もちろん、大統領のウソや権力の濫用、傍若無人な政策を批判することは、ジャーナリズムにとって重要な仕事だ。だが「トランプのやることは常に間違っている」と言わんばかりに彼の存在を全否定し、まともである政策ですら悪《あ》しざまに罵《ののし》るようではいけない。それこそ彼の手法を皮肉にも繰り返すことになる。

トランプ批判をすれば、一部の熱狂的な読者から拍手喝采を浴び、短期的には部数が伸びるだろう。だが長期的に見たとき、そうした報道姿勢は取り返しのつかない損害をもたらしかねない。「政治的ポルノ」とも言うべき行き過ぎた報道があったとき、そのまずさに読者は敏感に気づくものだ。

トランプ旋風が巻き起こって以来、アメリカ国内はトランプ派と反トランプ派で世論が真っ二つに分断されてしまっている。両者が先鋭的に衝突を繰り返すだけでは、社会のひずみはますます深まっていく。対立を乗り越え、両者が妥協できるギリギリのラインをどうやって見出していくのか。社会の分断を煽る尖兵役になるのではなく、右でも左でもないバランスの取れたパースペクティブ（視点）を提示する。ジャーナリズムには、その役割が求められていると思うのだ。

社説はもういらない

私は２００５年からＮＹタイムズの東京支局で記者として仕事をし、09〜15年にかけて支局長を務めた。実は東京支局での勤務当時、ＮＹタイムズの社説（Editorials）に掲げられた主張が、私にとって大きな障害となったことが何度かある。

日本の新聞に載る社説は、主筆が自ら綴ったり、論説委員や編集委員が交替で執筆すると聞く。だが、社説に書き手の氏名が明示されることはない。日本と同じように、ＮＹタイムズの社説も匿名だ[*28]。

組織上、私のように現場で取材して記事を書く記者と、社説執筆者の部署ははっきり分けられている。両者がコミュニケーションを取ったり、意見交換をすることは普段はない。もちろん、読者はそのような社内事情について気にすることはない。そして社説に載ったオピニオンは当然、「新聞社の看板」「社論」と見なされる。

＊28　https://www.nytimes.com/section/opinion/editorials

社説では、その日の主要なニュースについて読者が判断する視点やポイントを提供する。社説執筆者は最新ニュースに素早く目を通し、その報道とほぼ同じタイミングで社説を書く。

ＮＹタイムズでは、社説を書く部署はオピニオン部門に属する。オピニオン欄を執筆するコラムニストには、ノーベル経済学賞受賞者のポール・クルーグマン（Paul Krugman）やニコラス・クリストフ（Nicholas Kristof）といったベテランのジャーナリストがいる。彼らコラムニストは多くの読者から人気があり、ＮＹタイムズの中で最も評判の高いページの一つだ。[*29]

ポール・クルーグマンやニコラス・クリストフのようなコラムニストは署名入りでオピニオン記事を書くのだが、社説には執筆者の名前が明記されない。その代わりに、社説には新聞社の名前が付記される。無署名で発表するこの形式は、「客観報道」という概念が生まれる前の古い時代のやり方だ。

そのころのアメリカでは、すべての新聞が特定の政党を支持しており、党派性が非常に強かった。１８３０年代にPenny Press（1セントで買える安いタブロイド新聞）が誕生すると、「報道と論説の分化」が起きる。やがて特定の政党に与《くみ》せず、客観報道に徹する無党派の新聞が、「クオリティ・ペーパー」として既存の新聞に対抗する形で生まれた。そして今日の社説のような無署名記事が、会社の名前で載るようになったのだ。

しかし現代で新聞社の名前を看板にして社説を発表することは、読者に大きな誤解を生む。社説の編集部門とニュース報道部門には何ら関係がなく、両者は別々に仕事をしているのに、「社説こそが社論」だと読者をミスリードしてしまうのだ。

オピニオンは署名入りで書け

ＮＹタイムズの社説部門は、記者が仕事をしているフロアとは切り離されて独立している。社説は読者に議論を促すことを目的とし、ニュースの読み解き方や視点を提示する。社説を書く人間が、現場で取材してニュースの報道に取り組む私たちにあれこれ指図したり、注文をつけてくることはない。

ＮＹタイムズで仕事をしていた11年間、私は社説の執筆者とただの一度も顔を合わせたことがなかった。私が記事を書くとき、社説執筆者の立ち位置や論調なんてまったく気にしなかった。前述のように、社説部門とニュース部門の間には、お互いの領域を守る「壁」があ

＊29　https://www.nytimes.com/section/opinion

る。私たちニュース部門の聖域が、社説執筆者から侵害されることはない。何百人という記者が働くニュース部門は、少人数の社説部門よりも、ＮＹタイムズではるかに規模が大きく重要だった。

しかし、その社説が、記者の仕事に重大な弊害をもたらすことがある。２０１２年12月に第２次安倍政権が成立すると、ＮＹタイムズの社説は安倍首相を痛烈に非難し続けた。14年３月には、安倍首相の考え方を「dangerous revisionism」（危険な歴史修正主義）と非難する社説を掲載している。これは、英語圏では「ナチスのヒトラー」を思い起こさせるニュアンスの強烈な表現だ。

こうした強い言葉遣いによって、ＮＹタイムズの社説は「安倍首相のナショナリズムは中国との摩擦を生み出し、アメリカを引きずりこんで第三次世界大戦を引き起こす可能性がある」とまで非難した[*30]。

私を含む東京支局の記者は、社説とは何の関係もない。なにしろＮＹタイムズのウェブサイトに掲載されるまで、社説に何が書いてあるのかなんてまったく知らなかったくらいだ。だから当然、外部では誤解を生む。社内で仕事をしている身内の記者でさえ、「いくら何でも言い過ぎだ」と眉をひそめることもあった。

安倍首相に関するこの社説が発表されると、外務省では大問題になった。外務省は、日本政府に関する外国メディアの報道をくまなくチェックしている。外務省は激怒し、私が事前にアポイントを取っていたインタビューの予定をすべてキャンセルされてしまった。そのせいで、日本政府で働く閣僚の声を直接聞けないまま、記事を書く羽目に陥ったのだ。

このような取材妨害を受けるのは迷惑だし、もはやＮＹタイムズに社説は必要ないとすら私は思う。今は公正で透明性を保ち、特定のアジェンダに肩入れしないことがジャーナリズムに求められる時代だ。会社の看板を背負い、無署名でオピニオンを発表する。しかもその論調が、ときにニュース部門の報道姿勢と大きくズレている。新聞全体が偏っているように見え、読者を失う危険性がある。このようなコラムは廃止するべきだと思う。

あるいは、オピニオン欄で論説を書くほかのコラムニストと同じく、堂々と署名を入れてコラムを書けばいいのだ。そうすれば、読者は「これはＮＹタイムズを代表する社論ではなく、この評論家の意見なのだな」と理解できる。「名無しの社説」は、とうに時代遅れの負のレガシー（遺産）なのだ。

＊30　https://www.nytimes.com/2014/03/03/opinion/mr-abes-dangerous-revisionism.html

悪質アカウントを見破る6つの方法

ソーシャル・メディアを使っていると、「反日」「売国奴」との誹謗中傷を受けたり、ヘイトスピーチの攻撃を受けることがある。人を攻撃したり、フェイクニュースを流すことだけを目的に開設されたアカウントも多い。政治的な論争を吹っかけられることもある。こうした理由から、ソーシャル・メディアをまったく使わない人もいる。

ジャーナリストにとっては、ソーシャル・メディアも貴重な情報源の一つだ。情報源としてソーシャル・メディアを活用するために、私は以下のような方法を取っている。

第一に、トロール（ネット上で「荒らし屋」のように活動する人々）と呼ばれる人たちが集まる場所へ行って、彼らが何を考え、どんな主張をしているのか積極的に調べる。英語圏で使われているレディットというＳＮＳをのぞいてみるといい。レディットでは、ほかのＳＮＳではまだ始まっていない初期段階のネガティブ・キャンペーンが繰り広げられている。

第二に、トロールは匿名やフェイクネーム（偽名）を使うことが多い。匿名の場合は顔写真を使わず、アバター（キャラクターやマーク）として、花やトランプ大統領などの一般公開されている写真を使用する。あるいはアバターがないたまごのマークにしているため、それを怪しいアカウントを見分ける目印にしている。

第三に、フェイクニュースを拡散するアカウントの多くはボットである。政府や企業、政治団体に雇われたサクラもたくさんいる。これらのフェイク・アカウントを見破る方法として、フォロワー数の確認を行っている。たまごマークかつフォロワーが数十のみで、匿名を使うアカウントなら、トロールやサクラであることがほぼ確実である。さらに、誰をフォローしているかを確認することも有効だ。ジャーナリストばかり、あるいは政治家ばかりだとトロールの可能性が高い。

第四に、同じ言い方を何度も使うアカウントも排除している。10分、15分と時間を空けて、別のアカウントから明らかに同じメッセージが発信されることもある。そんなときは「ああ、ひょっとするとこれはトロールがいくつものアカウントを使い回しているのかな」とか「このアカウントはおそらくボットだな」と判断する。

英語はほとんど完璧なのに、ときどき文法的に小さな間違いが紛れこむこともある。そういうミスも一つの目印となる。たとえば日本語で「少しずつ」と書くのが正しいのに、いつも「少しづつ」と間違えて書いてしまう人がときどきいる。こうした間違いを手がかりに「Aだけでなく、BとCのアカウントにも『少しづつ』という誤記がある。ひょっとしてA、

B、Cいずれも同一人物による書きこみではないか」と疑いの目をもつのだ。
第五に、突如としてメッセージの内容が激変するアカウントにも注意する。それまでは音楽やスポーツ、映画やアニメについての書きこみばかりだったのに、香港でデモ活動が激化した瞬間、突然中国の政治的立場を支持する投稿が始まる。今までとは急に違うことを言い始めたアカウントについては、乗っ取りやハッキングを疑ったほうがいい。

ブロックとミュート

第六に、ツイッターについているブロックやミュートという機能を活用する。私のツイートに誰かがコメントをつけると、そのコメントはツリー（樹木）のように私のツイートに連なってぶら下がる。ジャーナリストやフォロワー数が多い有名人のアカウントをプラットフォームのように利用して、トロールたちが自分の意見を拡散できてしまうのだ。

もし私が悪質なアカウントをブロックすれば、トロールは私のアカウントを発言のプラットフォームとして利用できなくなる。ブロックではなくミュートに留めておけば、私の目にはその人のツイートが入ってこない。だがほかの人には見えてしまう。プラットフォームとしての機能は生きたままだ。

ミュートすれば、その人が何を言っているかは全然見えないから、私にとっては快適になる。だがトロールは普通に活動できてしまう。ブロックすればその人は私のツイートを読めなくなるし、ツリーのようにコメントもつけられなくなる。嫌がらせをすることだけが目的としか思えないアカウントは、ミュートではなくブロックしたほうがいいのかもしれない。

外国人ジャーナリストは、何かにつけて「反日」と攻撃されるわけだが、私はずっと無視してきた。そういう人にコメントは返さず、何もしないで無視して放っておいた。「言論の自由だから、何を言おうがいいんじゃないか」と思っていたのだ。

だが私のアカウントを掲示板のように利用して、ヘイトスピーチまがいの書きこみを載せられてはかなわない。だからレイシストの極端なアカウントは、最近ではブロックしている。

コメディ・セントラル（Comedy Central）というアメリカのテレビ番組で放送された、トランプを冗談のネタにした動画を日本で紹介したところ、ネット右翼から「フェイクニュースだ」と攻撃されたことがある。動画の出所はコメディ・セントラルだと明確に書いてあるのだから、ウソでもフェイクでもない。

不思議なことに、トランプを批判すると日本のネット右翼が大勢攻撃しに来る。トランプ政権の政策は日本の極右の主張とかなり違うが、アメリカのポピュリズムにどこかあこがれを感じているようだ。百田尚樹氏のような有名人が「反日記者がこんなことを言っている」と取り上げれば、彼のファンであるネット右翼はワンワン吠えてみんなで標的を批判する。バカバカしくて笑うほかない。小学校のいじめっ子のような存在であり、違う意見をもっている人を沈黙させるのが狙いだ。

そんな批判を真に受けて落ちこむ必要はない。臨機応変にブロックやミュートの機能を使い分けながら放っておけばいい。ヘイトスピーチには、毅然と対応すればいいのだ。

建設業者の「サクラ」コメント

東日本大震災からちょうど5年後の16年3月11日に合わせて、共同通信から依頼を受けてオピニオン記事を寄稿した。その原稿の中で、私は津波被災地における防潮堤について次のように評した。少々長くなるが、以下引用しよう。

〈日本は、１９９５年の阪神大震災の失敗から教訓をまじめに学び取ろうとしてきた。そんな日本が、５年前の大惨事から得られる教訓に目をつぶったままのようだ。

１兆円ものお金をかけて４００キロもの海岸線に防潮堤を築いている。

あの津波が一つだけ私たちに教えてくれたとしたら、それはどんなに壮観な壁を築いたところで、自然の力には及ばないということだ。

約2キロの長さに上る釜石の防波堤はその高さにおいてギネスブックにも記録されたが、町を守れなかった。日本の納税者は今新たな巨費を投じて防波堤を復旧している。

震災前に原状回復を図ることは解決策にならない。それは過去と同じことを運命づけるだけだ。

東北の経験から学ぶべき新たな教訓がある。それはコンクリートに頼るのではなく、より賢いソフト面での解決策だ。

例えばそれは、高台に逃げるすべを知る学童のように、価値ある知見を指す。あるいはそれは、地域共同体の絆を指す。その絆があったから、災害時に互いを助け、その後の長い苦難の生活を支え合うことができた。〉

津波の被災地で起きた現実を見ると、防潮堤というコンクリート製のハードが、人間の命を守ったわけではない。知識や社会の絆、みんなの助け合いといったソフトが、人々の生存率を明らかに高くした。

たとえば「釜石の奇跡」と呼ばれる岩手県釜石市では、「大地震が起きたら、てんでんバラバラにみんな急いで高台に逃げろ」を意味する「津波てんでんこ」という考え方が伝承されてきた。そのおかげで、釜石市内で学ぶ小中学生の命がほぼ１００％助かったのだ。

この記事が発表されると、私のツイッターのアカウントに批判的なツイートがものすごくたくさん届いた。１つ目のツイートでは、まずみんなが私の人格を攻撃して「こいつはバカなインチキジャーナリストだ」とか「反日だ」と非難する。

２つ目、３つ目のツイートでは「なぜ沿岸部に防潮堤が必要か」という土木建設会社の宣伝のような文言が並ぶ。４人から批判のコメントが次々と飛んできたのだが、どれも内容は同じだった。違う人が書いているように見せかけたつもりかもしれないが、同一人物が書いていることは明らかだ。建設会社の広報を務める人が「サクラ」となって、私のオピニオンを潰そうとしているのではないかと思われる。

ソーシャル・メディアのパトロール隊

ツイッターを使って慰安婦問題などに関する政治的な発言を投稿すると、５分か10分ごとに批判のコメントが飛んでくることがある。別のアカウントから順番にコメントが飛んでくるのだが、どれも内容は同じだ。１人の人がログインして書いたあと、いったんログアウトする。別のアカウントにログインしてから、表現を少しだけ書き変えて再投稿しているのだろう。

興味深いことに、こうしたコメントは平日朝9時半から夕方6時の間に書きこまれることが多い。完全に就業時間内だ。実際に平日夜と週末には明らかに少なくなるのだ。自民党なりどこかの企業が、「サクラ」のアルバイトを雇っているのかと思うほどだ。

北海道猿払《さるふつ》村で、戦時中の強制労働によって殺された、80人以上の日本人と朝鮮人がいる。彼らを弔《とむら》う慰霊碑の建設が計画されたことがあった。この動きを知ったネット右翼は、１人で数十人分の攻撃を猿払村に浴びせかけた。猿払村の村役場によると、電話やファックスを使った、いわゆる「電凸《でんとつ》」作戦に参加した人数は１００人以下だった。でも、人口が３０００人もいない小さな村だけに、職員の数は多くない。普段は静かで平和な村役場に、ものすごい言葉遣いの抗議がガンガン寄せられた。役場の職員はすっかり圧倒され、萎縮してしまった。

結果、慰霊碑の除幕式が中止され、石碑は撤去されてしまったのだ（詳しくは私の前著『安倍政権にひれ伏す日本のメディア』１１２～１２０ページをご覧いただきたい）。

19年夏から秋にかけて愛知県で開かれた芸術祭「あいちトリエンナーレ」では、抗議電話が殺到して「表現の不自由展・その後」が中止に追いこまれた。猿払村のケースと同じく、１人の人が何十人分もの働きをして、繰り返しクレームをぶつけたせいだ。

ノイジー・マイノリティ（声高な少数派）の実数は、おそらく日本の人口全体の数％もいない。だが「ノイジー」の名のとおり、彼らが発する抗議の声はとてもうるさくしつこい。実態よりもはるかに大勢に見えてしまう。そういう人の声は、ソーシャル・メディアを使うと拡声器のように大きく広がり、とても目立つ。

ノイジー・マイノリティは、普通の人の１００倍も騒ぐ。「オレたちの意見こそが世論だ！」と彼らは叫ぶわけだが、世の中の９割以上の人たちは、極端な意見を口にすることなく静かにしている。今の時代を生きる一つの知恵は、ソーシャル・メディアの中で叫ばれる言葉のボリュームはすなわち世論ではないと理解することだ。

書きこみへの責任を回避するプラットフォーム

訴訟社会アメリカでは、「マクドナルドのコーヒーが熱すぎて車の中でこぼしたら足を火傷《やけど》した」と言って裁判を起こす人がいる。だがフェイクニュースやヘイトスピーチに対して、名誉毀損裁判をどんどん起こして潰す動きはあまり進んでいない。それをやりすぎると、言論・表現の自由を侵害する可能性もある。

明らかにウソの書きこみで発信者がわかれば、名誉毀損訴訟で勝てるだろう。問題は、匿名で開設されているＳＮＳのアカウントや掲示板への書きこみは、そもそも誰がフェイクニュースを載せたのかがよくわからない点だ。

80～90年代に『サルバドル』（原題“Salvador”）や『ワンス・アポン・ア・タイム・イン・アメリカ』（原題“Once Upon a Time in America”）などの映画で活躍していたジェームズ・ウッズという俳優が、ツイッターの匿名アカウントから「コカイン中毒のジェームズ・ウッズはまだ薬を使っている」と非難されたことがある。彼は裁判を起こし、１０００万ドル（10億９０００万円）もの賠償金を勝ち取った。

匿名で開設されたアカウントであっても、ツイッター社なりフェイスブック社にＩＰアドレスの開示請求を出せば、発信元の属性を特定できる場合がある。誰が発信者なのか名前や連絡先がわかれば、ジェームズ・ウッズのように提訴は可能だ。

ただし、ＩＰアドレスの開示請求が毎回認められるとは限らないし、こうした手続きや裁判を進めるためには弁護士を雇う費用がかかる。匿名の書きこみをするＳＮＳのアカウントの向こうに、人間が本当にいるのかどうかさえわからない。だから裁判を起こしたくても、手続きは簡単ではないのだ。

フェイクニュースや名誉毀損を行なうアカウントから被害を受けている人は、ツイッター社やフェイスブック社に「あなたたちは責任をもちなさい」と抗議する。だがSNSのプラットフォームは、そうした書きこみに対してなかなか積極的な対策を打とうとしない。「ウチはニュースメディアではないし、コンテンツを作る会社でもない。皆さんが使うプラットフォームを提供しているだけだ」と言い逃れる。

ツイッター社やフェイスブック社が特定の書きこみを消したり、アカウントを自由に凍結したりすれば、彼らが「我々はフェイクニュースやヘイトスピーチへの責任をもつ」と宣言することになる。そうなれば、両社は裁判で訴えられるようになる（最近ではようやく、あまりにもひどい書きこみをするアカウントは凍結されるようになったが）。両社としてはその事態は絶対に避けたいのだ。

SNS規制が急務

SNSが出てきた当初は、「言論の自由の新時代だ」とか「みんなが発信できるプラットフォームだ」と言われ、脚光を浴びた。しかし、ヘイトスピーチやフェイクニュースなどさまざまな問題が噴出している現在は、何らかの規制が求められる。

ソーシャル・メディアにはこれまで、名誉毀損やヘイトスピーチに関するルールがまったくなかった。これからは、今までほど自由な空間ではなくなるだろう。ネット空間の中でもリアルの社会と同じく、法律や常識、習慣といったルールが当てはめられることになるだろう。

ジェームズ・ウッズのような判例を見た人は、「メチャクチャな書きこみをしたら懲罰を受ける」と怖れ、自主規制するようになる。アメリカの議会では「フェイスブックに規制をかけるべきだ」という主張が出始め、マーク・ザッカーバーグ（フェイスブック創業者）がワシントンの公聴会に呼ばれたりもしている（18年4月の上院公聴会／19年10月の下院公聴会）。

問題は、誰がソーシャル・メディアの新しいルールを作るかだ。何がヘイトスピーチなのか、何がフェイクニュースなのか。ルールを決める人の一声によって、それらの定義が悪用されることもありうる。拙速に規制を増やすと、言論統制にもなりかねない。

16年5月、日本の国会でヘイトスピーチ対策法が成立した。ただしこの法律には罰則規定がない。神奈川県川崎市や大阪市など特定の自治体では、条例を作ってヘイトスピーチを取り締まっている。在日韓国・朝鮮人が大勢暮らしていたり、被差別部落がある地域は、差別問題とヘイトスピーチ対策に敏感だ。こうした地域では、ヘイトスピーチに対処するための社会的コンセンサス（合意）が早くから得られている。

しかし、ソーシャル・メディアでは差別やヘイトスピーチ、名誉毀損について、どうやって扱うべきかまだ社会的コンセンサスはできていない。

ドイツでは、ナチスやヒトラーを礼讃する発言をしたり、ナチス式の敬礼を真似しただけで、すぐさま逮捕される。ナチスを象徴するハーケンクロイツ（鉤《かぎ》十字）を、洋服やポスターのデザインに使用することも許されない。

ドイツの人々はいつも心のどこかで、「自分たちの国はまた変なことをする可能性がある」「自分たちがやっていることが正しいかどうか疑え」と、警戒しながら厳しく自己監視に努めている。ナチスが台頭した１９３０～40年代、ドイツ国民のほとんどが協力してナチスとヒトラーに賛同した。その苦い経験に立ち、「言論・表現の自由を履き違えて勝手なことを言ってはならない」と厳しく規制しているのだ。

世界が注目した日本のブロガー殺人事件

アメリカの世論調査会社「ピュー・リサーチセンター」（Pew Research Center）の調査"A small group of prolific users account for a majority of political tweets sent by U.S. adults"によると、ツイッターで流れるアメリカ政治に関するつぶやきの73％は、ツイッターの全ユーザーのたった６％が発信しているそうだ。つまり、ほとんどのユーザーは政治について一切触れない。また、ツイッターのユーザーのうち69％は、政治についての話題は１年間にせいぜい１回しか投稿しない。だからツイッターを見ていると、政治に関する話題は極端な意見ばかりが目立つ。日本も同じだと思う（調査結果の詳細は傍注に示したＵＲＬを見てもらいたい[*31]）。

日本のツイッターでも、政治的な発言を投稿するのはネット右翼か、「アベ政治を許さない」と叫ぶ左派の市民ばかりだ。ほかは新聞記者やジャーナリスト、学者くらいしか政治に

＊31　https://www.pewresearch.org/fact-tank/2019/10/23/a-small-group-of-prolific-users-account-for-a-majority-of-political-tweets-sent-by-u-s-adults/

関する投稿はしない。こうした事実をよく認識したうえで、私たちはＳＮＳを賢明に使っていきたいものだ。

「フリーダム・ハウス」（Freedom House）というＮＧＯが発表した報告書[*32]“The Crisis of Social Media”を読むと、世界各国のソーシャル・メディアの自由度に点数がつけてある。日本は１００点満点のうち73点だ。

この報告書では、日本ではあまり注目されていない岡本顕一郎氏の殺害事件についても触れられている。岡本氏はHagex《ハゲックス》という名前で活動するブロガーであり、サイバー犯罪に詳しい専門家だ。18年６月、彼は福岡市でトロールやネット右翼を批判するセミナーを開いた。そのセミナーが終わった直後、トロールの１人によってナイフで刺し殺されてしまったのだ。

犯人はネットの世界で、醜い言葉を使ってほかの人を罵倒していた。そのネット空間が現実の世界にそのままスライドしてしまったのだ。岡本氏の言説に我慢がならず、言葉で批判するだけでなく、現実に暴力を振るうところまでエスカレートしたのである。ネット空間にはヘイトスピーチや「死ね」といったひどい言葉が山ほど飛び交っている。今回の事件では、その強い感情がついに現実の世界を侵食したのだ。

東京オリンピックで強化されるネット監視

２０２０年に開催予定だった東京オリンピック・パラリンピックに向けて、政府はサイバー・セキュリティの監視態勢を強化する方針を発表した。[＊33] 総務省による「ＩｏＴ機器調査及び利用者への注意喚起の取組」（National Operation Towards IoT Clean Environment ＝ NOTICE）は、２億台ものインターネット接続機器（ＩＰアドレス）、すなわちルーターやウェブカメラ、センサーなどへのハッキングを許可する。

こうした動きに対する、日本の市民社会グループによる反発もある。

前出の「フリーダム・ハウス」報告書の中では、日本のネット空間における問題として①岡本顕一郎氏の殺害事件、②オリンピック直前の監視態勢強化が大きくクローズアップされた。だが日本では、これら①と②の問題はなぜかあまり注目されていない。

フランスのグループ「国境なき記者団」は毎年世界各国の「報道の自由度ランキング」を

＊32　https://freedomhouse.org/report/freedom-net/2019/crisis-social-media

＊33　https://notice.go.jp/

発表している。日本の順位は以下のように推移してきた。

17位（09年）→11位（10年）→22位（12年）→53位（13年）→59位（14年）→61位（15年）→72位（16年）→72位（17年）→67位（18年）→67位（19年）。

12年12月に第2次安倍政権が発足してから、日本の「報道の自由度」順位は顕著に低下している。ランキングは１８０カ国・地域を対象としているから、60〜70位というのは非常に悪い数字だ。

「国境なき記者団」は日本のマスメディアについて、「メディアが安倍政権の圧力に対抗することなく、自発的に負けている」「メディアは自分から率先して自己検閲に努めている」と批判している。この数字が発表されるたび、「日本のメディアの位置づけ」について海外では大きな話題になる。だが19年に発表された「フリーダム・ハウス」の報告書は、どういうわけか日本では全然注目されていない。

海外のＮＧＯがこういう報告書を作れば、海外メディアは積極的に報道する。報告書では「アメリカでは報道の自由度が下がっている」と書かれているため、そうしたネガティブな見方についても読者にきちんと伝えるのだ。

報道の自由を存分に享受し、調査報道を果敢に繰り広げる元気なメディアが、今こそ日本に必要だと思う。ところが今の日本の事件記者は、警視庁の記者クラブでイスに座って警視庁の発表をじっと待っている。警視庁が強調しないことは、報道でもしっかり伝えない。政治部や経済部などの部署でも同様だ。

日本のメディア報道は、官僚主導の発表をコピー・アンド・ペーストしたものが9割を占めるような印象だ。霞が関（中央省庁）が公にするペーパーや記者会見、リークや発言者を開示しない懇談の内容ばかりを使って、記者はこぞって記事を書く。独自取材による企画は、紙面ではあまり大きく取り上げられることがない。

なぜ岡本顕一郎氏が殺されてしまったのか。東京オリンピックを口実としたネットの監視強化には問題がないのか。こうした重要なテーマをマスメディアが放置するようでは、「報道の自由度ランキング」はますます低い順位になっていくだろう。

日本のメディアは、記者クラブに依拠したアクセス・ジャーナリズムにいつまでも留まってはいけない。主体性のある独自取材に力を注ぎ、エスタブリッシュメント（権力者や大企業）から独立性を保った報道が今こそ日本に必要だと思う。そういうメディアが生まれれば、日本のジャーナリズムはきっとよみがえるはずだ。

付録　フェイクニュース問題を取り上げる映画９選

メディアやジャーナリズムをテーマにした映画は、アメリカでたびたび作られてきた。フェイクニュースのはびこる現代を先取りした作品もある。付録として、フェイクニュースをメインテーマに扱った９本をご紹介したい。

①『グッドナイト&グッドラック』（原題“Good Night, and Good Luck”２００５年）

ジョージ・クルーニー監督・脚本による実話に基づく作品。１９５０年代、ジョセフ・マッカーシー上院議員による「マッカーシズム」「赤狩り」が吹き荒れる。デマで共産主義者排除を図るマッカーシーのやり方に疑問を抱いたテレビジャーナリストのエドワード・R・マローは、批判的番組を作って対抗する。

マッカーシー側からの反撃を受け、ジャーナリスト生命の危機にさらされながらも、人々に真実を伝えようと奮闘する。こうした姿勢は、今日のジャーナリストにとっても大いに参考になる。

②『スポットライト　世紀のスクープ』（原題“Spotlight”２０１５年）

トム・マッカーシー監督による、実話を元にした作品。ボストンの地方紙ボストン・グローブは「スポットライト」と呼ばれる特命チームを結成し、カトリック教会神父による児童への性的虐待事件の徹底調査に乗り出す。

本作では、疑問を抱いたジャーナリストが、丹念な取材を通じて結論を出すまでの過程がわかりやすく可視化されている。これは、フェイクニュースが普通に横行する現代への反論だ。今こそジャーナリズムが必要だという毅然とした姿勢を示している。

教会側が「性的虐待なんてありえない。そんな話はデッチ上げだ」と白を切り、記者たちの仕事を否定して、「不都合な真実」を闇の中へ葬り去ろうとした。調査報道に取り組むジャーナリストがいたからこそ、社会の中で隠されていた問題が白日の下にさらされたのだ。

③『ニュースの天才』（原題“Shattered Glass”２００３年）

ビリー・レイ監督による、実話に基づく一本。96年にThe New Republicというリベラル誌がスキャンダルに直面する。若手スター記者であるスティーブン・グラスが、架空の作り話を記事として書いていることが発覚したのだ。

その一つは、15歳のコンピュータ・ハッカーに関するものだった。スティーブン・グラスはウソをゴマかすため、ハッカーの会社を装った偽物のウェブサイトまで作る。

読者から信頼されているのをいいことに、ジャーナリストは意図的にフェイクニュースを流すこともできる。メディア自身もファクト・チェックは不可欠なのだ。

④『大統領の陰謀』（原題“All The President's Men”１９７６年）

アラン・J・パクラ監督による、実話に基づく名作。40年以上前に作られた映画だが、今観ても内容はまったく古びていない。

ワシントン・ポストのカール・バーンスタイン記者（ダスティン・ホフマン）とボブ・ウッドワード記者（ロバート・レッドフォード）らは、民主党本部における「ウォーターゲート事件」の情報をつかむ。彼らは粘り腰の調査報道により、最終的にリチャード・ニクソン大統領を辞任に追い込んだ。

この作品は、ジャーナリストにとって究極の正義とは何かを示す。政府が過ちを犯したとき、メディアとジャーナリズムが民主主義を守る防波堤であらねばならないことを教えている。取材者の勝利を描いたこの作品は、観る者に記者、ジャーナリストという職業へのあこがれをかき立てた。

⑤『インサイダー』（原題 "The Insider" １９９９年）

マイケル・マン監督による、実話に基づいた作品。主演はアル・パチーノが務める。ＣＢＳのドキュメンタリー番組60 Minutesプロデューサー（アル・パチーノ）の元に、アメリカのタバコメーカーの不正を告発する内部情報が届いた。プロデューサーは、大手タバコメーカーの研究開発部門で副社長を務める人物（ラッセル・クロウ）と接触し、取材を試みる。

副社長が「ホイッスルブロワー」（whistle blower ＝「警笛を吹く人」が転じて「内部告発者」という意味で使われる）になることを察知したタバコメーカーは、圧力をかけて告発を未然に潰そうとする。だが最終的に、副社長は60 Minutesの独占インタビューに応じた。

ところがＣＢＳの最高幹部は、巨額の賠償金請求訴訟を起こされるリスクを恐れて、インタビューの最も肝心な部分をカットしてしまう。それだけでなく、CBSはプロデューサーをクビにして60 Minutesから降板させてしまうのだ。

プロデューサーは最終的に自らが「ホイッスルブロワー」（インサイダー）となり、NYタイムズやウォール・ストリート・ジャーナルに真実をすべて報道させた。

CBS、NYタイムズ、ウォール・ストリート・ジャーナルといった固有名詞がそのまま出ているし、B&W（ブラウン・アンド・ウィリアムソン）やフィリップモリスといったタバコメーカーが実名で登場するのもすごい。

大企業であるテレビ局は、タバコ産業からもたらされるスポンサー収入に依存し、真実を報道することよりも金儲けを優先してしまった。テレビ局がジャーナリズムの機能を果たさないのであれば、新聞がある。たとえ会社をクビになろうとも、プロデューサーは内部告発者として新聞にネタをもちこみ、大々的な記事が出た。

フェイクニュースの時代を生きる私たちにとって、これまた意義深い作品だと思う。

⑥『リチャード・ジュエル』（原題“Richard Jewell”２０１９年）

クリント・イーストウッド監督による最新作だ。96年のアトランタ・オリンピックで爆弾テロが発生すると、ＦＢＩ（連邦捜査局）とメディアは「リチャード・ジュエルという警備員がテロを引き起こした犯人だ」と結論づける。彼は無実だったため、人生をメチャクチャにされたという実話に基づく。

この話は、94年に起きた松本サリン事件を思い起こさせる。事件の第一通報者である河野義行さんは被害者であり、その後妻は重篤な健康被害と障害を抱えて生きることになった。事件の首謀者はオウム真理教だったにもかかわらず、警察当局は河野さんが犯人だと決めつけた。そしてすべてのマスメディアも、警察発表を鵜呑みにしてメディアスクラム（集団的過熱取材）を展開し、河野さんを攻撃したのだ。

残念ながら、メディアとジャーナリストは間違いを犯すことがある。ＦＢＩや警察当局の言うことが、常に正しいとは限らない。ならばジャーナリストは当局と適切な距離を保ち、「本当にこの情報は正しいのか」と常に疑いの目をもって、丹念にファクト・チェックに励まなければならないのだ。

⑦『ウワサの真相　ワグ・ザ・ドッグ』（原題“Wag the Dog”１９９７年）

バリー・レビンソン監督によるコメディ映画だ。アメリカ大統領選挙直前にレイプスキャンダルが発覚し、大統領候補はピンチに陥る。そこで彼は、情報屋（ロバート・デ・ニーロ）とハリウッドの映画プロデューサー（ダスティン・ホフマン）に依頼し、強力な体制を築いてメディアにフェイクニュースを流しまくる。なんと彼らはデタラメの戦争までデッチ上げ、作りものの映像をテレビで放送して国民の目を欺《あざむ》く。

「政府はときにウソをつく」という意味で、まるで今日の世界を予見するような作品だ。

⑧『グリーン・ゾーン』（原題“Green Zone”２０１０年）

ポール・グリーングラス監督によるイラク戦争を描いた一本。主演のマット・デイモンが率いる特殊部隊チームが、イラクの首都バグダッドの緩衝地帯（通称「グリーン・ゾーン」）へ「大量破壊兵器」の捜索に出かける。イラク戦争の根拠となった兵器の存在を疑うマット・デイモンは、危険を冒して真実に迫る。

この映画は、ブッシュ政権の重大な過ちと、政府の発表に疑問をもたず「イラクに大量破壊兵器が存在する」と宣伝したＮＹタイムズの失敗（ジュディス・ミラー事件）を抉《えぐ》り出す。

ジュディス・ミラーはブッシュ政権にあまりにも近づきすぎたため、ＮＹタイムズでウソを報じる失態を演じてしまった（詳しくは私の前著『「本当のこと」を伝えない日本の新聞』

128～130ページをご覧いただきたい）。

⑨『カプリコン・1』（原題“Capricorn One”1977年）

最後に、ピーター・ハイアムズ監督による40年以上前の古い作品をご紹介したい。歴史上最も有名な陰謀論の一つに「アポロの月面着陸はフェイクだ」という主張がある。

1969年、アポロ11号のニール・アームストロング船長は“That's one small step for man, one giant leap for mankind.”（これは人間にとって小さな一歩だが、人類にとっては大きな飛躍だ）という名言を残した。この「人類初の月面着陸」もアームストロング船長のセリフも、映画のスタジオで撮影された虚偽の動画だというのだ。

本作では、NASA（アメリカ航空宇宙局）が火星探検計画をデッチ上げる話が興味深く描かれる。アクション映画としても楽しめるし、陰謀論やフェイクニュースの作られ方を想像するのもおもしろい。

これらの映画を観ると、アメリカ社会におけるジャーナリズムの位置づけがよくわかる。市民社会とともにジャーナリズムも生まれ、大きな役割を果たしてきた。ジャーナリズムに対する「政府、権力者の監視役」としての期待が、人々の間にはまだある。

なぜトランプがあそこまでひどい口調で記者を恫喝しても、ＮＹタイムズやワシントン・ポスト、そしてＣＮＮは負けないのかが分かる。「自分たちはウォッチドッグ（番犬）だ」という矜《きょう》持《じ》が腹の底にあるからだ。

ここに挙げた以外にも、ジャーナリズムやフェイクニュースを扱った作品はたくさんある。まずはこのリストを足がかりとして活用してみてほしい。

おわりに　ゲートキーパーとしてのジャーナリズム

２０１６年６月の国民投票によって、イギリスのＥＵ（ヨーロッパ連合）離脱が決定した。同年の11月には、アメリカ大統領選挙で共和党のドナルド・トランプが当選している。政治が極端な方向に振れ、地政学が目まぐるしく動く時代が到来した。

トランプは、ＣＮＮやＮＹタイムズをはじめとするメディアを敵視し、名指しで激しく攻撃している。自分に対して批判的な報道は「フェイクニュースだ」と断じ、今まで権力の番犬の役割を果たしてきたメディアを頭ごなしに非難する。

彼は、メディアの「ゲートキーパー」というもう一つの役割も否定する。「世の中には多様なモノの見方がある」という当たり前の事実を無視し、「批判＝フェイク」と断罪するのは言語道断。いたずらにメディアを叩くのではなく、ゲートキーパーが提供してくれる知識を私たちは真摯《しんし》に受け止め、かつ情報源は複数もつべきだ。

今はメディアにとって苦難の時代になった。ネットとスマートフォンの普及により新聞のビジネスモデルが崩れ、業界に激震が走っている。「自分たちはこれからも新聞を発行できるのか」と記者たちが不安に陥る中、権力者はここぞとばかりに攻撃を仕掛けメディアの息の根を止めようとする。

メディアが権力者との攻防戦に負けて撤退すれば、社会の中でゲートキーパーの役割を果たしてくれる人は誰もいなくなってしまう。それは市民にとって非常に危険な状態だ。「新聞やテレビは信用が置けない」と突き放す人は、オールド・メディアには目をやらず、ツイッターやフェイスブックなどのソーシャル・メディアばかりを見る。自分が信頼するネット上の仲間（コミュニティ）の考え方に同調する。

だが、SNSのタイムラインにいるコミュニティの人たちが、きちんと事実を精査したうえで物事を判断しているとは限らない。自分と同じ意見をもつ人の書きこみばかりを見て「みんなはこう思っているのだな」「だから自分の意見はこれで間違いない」と信じこんでしまうのは危険だ。データ・リテラシーが足りないと、コミュニティの中の偏った意見に傾斜し、バランスを欠いた世界観をもつようになる。やがてそれは、差別的で攻撃的、排他的な方向へと暴走しかねない。

3・11の直後、日本では両極端の意見が飛び交った。原発賛成派は「福島の海で泳いだって大丈夫だ」「何も問題ない」と主張し、反対派は「放射能によって100万人がガンで死ぬ」「福島は危険だ」という感情論に陥った。それらの意見は結局、どちらも誤りだった。

ツイッターのタイムラインには、自分の立場に沿った意見しか流れない。自分が聞きたい情報にのみ耳を傾け、意見が異なるアカウントはまったくフォローしない。一つのコミュニティだけに頼ると見方はどんどん狭くなり、考え方の異なる他者との亀裂は深まるばかりだ。

もちろんマスメディアの看板だけが信頼できるとは限らない。既存のオールド・メディアだけでなく新しく立ち上がった独立系ネットメディアの中にも、信頼が置けるものはたくさんある。新旧や形態を問わず幅広く目を通しながら、データ・リテラシーを培ってほしい。

そして、「この人の言うことなら信頼できる」という「情報の灯台」を、できれば数人見つけてほしい。多様な政治的意見や立場を知ってほしい。会社員や公務員、パートタイマー、専業主婦、学生——誰にとっても、行く道を照らす光となる「情報の灯台」は不可欠だ。

皆さんにとって、本書が「情報の灯台」を探すための一冊になれば幸いだ。

マーティン・ファクラー

2020年4月5日

マーティン・ファクラー

アメリカ合衆国ジョージア州出身。ダートマス大学卒業後の1991年、東京大学大学院に留学。帰国後、イリノイ大学、カリフォルニア大学バークレー校で修士号取得。'96年よりブルームバーグ東京支局を経て、AP通信社ニューヨーク本社、東京支局、北京支局、上海支局で記者として活躍。2003年よりウォール・ストリート・ジャーナル東京支局特派員。'05年よりニューヨーク・タイムズ東京支局記者となり、'09～'15年に支局長を務める。現在はフリージャーナリストとして日本を拠点に活動。著書は『「本当のこと」を伝えない日本の新聞』(双葉新書)、『米国人ジャーナリストだから見抜けた日本の国難』(SB新書) など。ツイッター (@martfack) でも積極的に発言。

フェイクニュース時代《じだい》を生《い》き抜《ぬ》く　データ・リテラシー

2020年4月30日初版1刷発行

著　者 ―― マーティン・ファクラー
発行者 ―― 田邉浩司
装　幀 ―― アラン・チャン
印刷所 ―― 萩原印刷
製本所 ―― 榎本製本
発行所 ―― 株式会社光文社
東京都文京区音羽1-16-6(〒112-8011)
https://www.kobunsha.com/
電　話 ―― 編集部03(5395)8289　書籍販売部03(5395)8116
業務部03(5395)8125
メール ―― sinsyo@kobunsha.com

ISBN 978-4-334-04473-2

1048

首都圏大予測

これから伸びるのはクリエイティブ・サバーブだ！

三浦展

本当に人を集める力のある街はどこか？ 首都圏在住者への大規模調査とフィールドワークを通じてわかった、東京郊外の趨勢を忖度なしの徹底予測。

978-4-334-04451-0

1049

体育会系

日本を蝕む病

サンドラ・ヘフェリン

パワハラ・忖度・過労自殺・組体操事故・#KuToo…不合理な同調圧力は学校から始まる。愛する日本が先進国であるために、負の連鎖を破る特効薬を日独ハーフの作家が緊急提言！

978-4-334-04458-9

1050

ONE TEAM《ワンチーム》のスクラム

日本代表はどう強くなったのか？

増補改訂版『スクラム』

松瀬学

2019年の流行語大賞にも輝いた「ONE TEAM」。その象徴はスクラムだ。長谷川慎コーチ、堀江翔太、稲垣啓太、具智元が明かす、フィジカル勝負、心理戦、頭脳戦の攻防。

978-4-334-04460-2

1051

段落論

日本語の「わかりやすさ」の決め手

石黒圭

段落を意識すると、文章力はもちろん、読む力や話す力までも伸ばすことができる——思考をわかりやすく整理してくれる「段落」の可能性を、日本語研究の第一人者が明らかにする。

978-4-334-04461-9

1052

期待値を超える

僕が失敗しながら学んできた仕事の方法

松浦弥太郎

情けない失敗だって、むしろチャンスなんだ。仕事で苦しい思いを抱えていても、自信は取り戻せる。元『暮しの手帖』編集長による、勇気がわいて少しだけ前向きになれる仕事論。

978-4-334-04462-6

1053

女性リーダーが生まれるとき
「一皮むけた経験」に学ぶキャリア形成

野村浩子

女性の思考と行動が社会を変える——。四半世紀にわたって女性リーダーの取材を続けてきた著者が国内外の女性役員にインタビュー。キャリア形成のヒントを探る。【推薦・金井壽宏】

978-4-334-04463-3

1054

自己分析論

高橋昌一郎

「私とは何か」は答えのない問いだから、日本の学生が苦しんで当然。就活で便利ツールを使った攻略法から人生における「本当の自分発見」まで。探究を続ける人のための道案内。

978-4-334-04464-0

1055

搾取される研究者たち
産学共同研究の失敗学

山田剛志

突然届いた特許の「権利放棄書」、企業からの無理難題、研究者を守らない大学、心を病む助教、院生、学生……。産学共同研究政策は、研究者のためになっているのか？

978-4-334-04465-7

1056

芸術的創造は脳のどこから産まれるか？

大黒達也

創造性とは何か？ 脳科学や計算論、人工知能に関する膨大な論文を通じて、「天からの啓示」とされる閃きのメカニズムを解析。カギは「脳の潜在記憶」にあった。

978-4-334-04466-4

1057

「自分らしく生きて死ぬ」ことがなぜ、難しいのか
行き詰まる「地域包括ケアシステム」の未来

野村晋

何が「地域包括ケア」の実現を不可能にしているのか。現役厚労官僚が柏市や岡山市での実践を基に具体的な行政手法を紹介。自治体や医療・福祉関係者、企業や市民に次の一歩を促す。

978-4-334-04467-1

光文社新書

1058

ぼくが見つけたいじめを克服する方法
日本の空気、体質を変える

岩田健太郎

自らもいじめられっ子だったという著者が、数々の経験の末に導き出した克服法とは。ダイヤモンド・プリンセス号の告発で注目の感染症医による、同調圧力を打ち破るための一冊。

978-4-334-04474-9

1059

ホークス3軍はなぜ成功したのか？
才能を見抜き、開花させる育成力

喜瀬雅則

千賀滉大、甲斐拓也、牧原大成、石川柊太、周東佑京、大竹耕太郎――なぜホークスだけが3軍制で大成功を収めたのか？　多くの選手・関係者への取材を元に解き明かす。

978-4-334-04470-1

1060

管理栄養士が伝える
長生き食事術
人生100年時代の「新・栄養学」入門

麻生れいみ

「食」を変えればカラダと人生が変わる――。明日の健康を手に入れる、未来の病気のリスクを減らすための「日常生活で何をどう食べるか」。シーン別の食事マネジメント術も公開。

978-4-334-04471-8

1061

深宇宙ニュートリノの発見
宇宙の巨大なエンジンからの使者

吉田滋

南極点の氷河に突き刺さった「宇宙からの使者」とは？　日本の物理学分野の最高峰・仁科記念賞を受賞した著者による、「高エネルギーニュートリノ」の発見をめぐるスリリングな物語。

978-4-334-04472-5

1062

フェイクニュース時代を生き抜く
データ・リテラシー

マーティン・ファクラー

虚偽に流され情報の蛸壺に陥らない方法をNYタイムズ元記者が指南。V字回復した同社にメディア再興の道も探る。日本の新聞は権力を離れて調査報道に注力し、紙信仰を捨てよ！

978-4-334-04473-2